Reading
Mentor
joy
3

Longman
Reading Mentor joy 3

지은이 교재개발연구소
편집 및 기획 English Nine
발행처 Pearson Education South Asia Pte Ltd.
판매처 inkedu(inkbooks)
전화 02-455-9620(주문 및 고객지원)
팩스 02-455-9619
등록 제13-579호

ISBN 979-11-88228-37-9

Longman

Reading Mentor

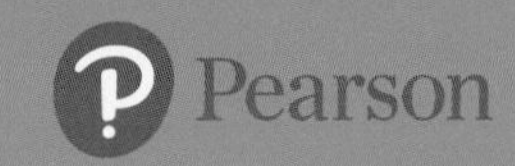

: Introduction

Reading Mentor Joy 시리즈는 초등학생 및 초보자를 위한 영어 읽기 학습 교재로, 전체 2개의 레벨 총 6권으로 구성되어 있습니다.

이 시리즈는 수준별로 다양한 주제의 글들을 통해서 학습자들의 문장 이해력과 글 독해력 향상을 주요 목표로 하고 있습니다. 또한 어휘와 문맥을 파악하고 글의 특성에 맞는 글 독해력 향상을 위한 체계적인 코너들을 구성하여 전체 내용을 효과적으로 이해할 수 있도록 구성했습니다.

학습자들의 수준에 맞는 다양한 주제의 글들을 통해서 학습에 동기부여를 제공함과 더불어 다양한 배경 지식과 상식을 넓히는 계기가 될 것입니다.

Reading Mentor joy

Book 1 Book 2 Book 3

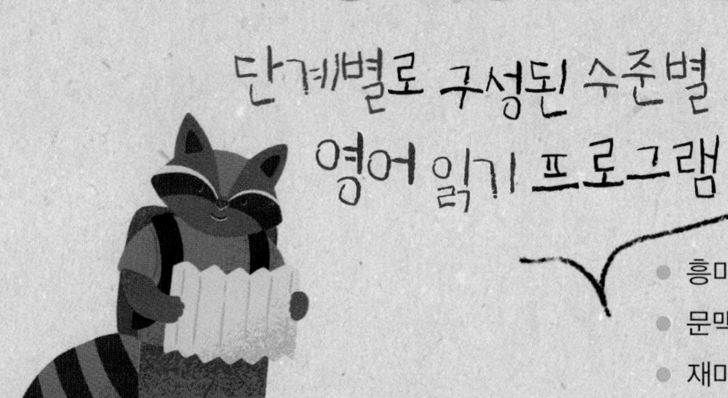

- 흥미 있는 토픽별 읽을거리
- 문맥을 통한 내용 파악 연습
- 재미있게 영단어 확인 학습
- 스토리 속 숨어 있는 문법 학습
- 다양한 학습 능력을 활용한 문제 구성

Reading Mentor Joy 스토리 소개

Book	Chapter
1	1 **School Life** 학교 생활
	2 **Jobs** 직업
	3 **Landmarks** 랜드마크
	4 **Transportation** 교통
	5 **Activities** 활동
	6 **Music** 음악
2	1 **Science** 과학
	2 **Special Days** 특별한 날
	3 **Food** 음식
	4 **Music and Musicians** 음악과 음악가
	5 **Cultures and Customs** 문화와 관습
	6 **Places** 장소
3	1 **Health** 건강
	2 **Wishes** 소원
	3 **Nature** 자연
	4 **Historical Figures** 역사적 인물
	5 **Earth** 지구
	6 **Stories** 이야기

Syllabus

Reading Mentor Joy는 총 3권으로 구성되어 있습니다. 각 권은 총 6개의 Chapter와 18개의 Unit으로 총 8주의 학습 시간으로 구성되어 있습니다. 따라서 Reading Mentor Joy는 24주의 학습시간으로 구성되어 있고, 각 권마다 워크북을 제공하여 학습 효율을 높이고자 하였습니다.

Month	Week	Book 1	Unit	Contents	Grammar Time
1	1st	Chapter 1 **School Life**	1	My Class	many, much, a lot of의 쓰임
			2	School Life	wherer과 what의 의미와 쓰임
			3	School Sports Day	like의 의미와 쓰임
	2nd	Chapter 2 **Jobs**	1	Future Dreams	사람을 의미하는 접미사
			2	Future Job	2개의 단어로 이루어진 동사
	3rd		3	Mr. Jason	시간을 나타내는 전치사
		Chapter 3 **Landmarks**	1	The Big Bookstore	[How+형용사 ~?]의 쓰임
	4th		2	The Stature of Liberty	대문자를 써야 하는 경우
			3	The Eiffel Tower	최상급의 의미와 쓰임
2	1st	Chapter 4 **Transportation**	1	By Subway	동명사와 진행형의 의미와 구분
			2	Kinds of Transportation	[What+명사 ~?]의 쓰임
			3	Safety Rules	when과 while의 의미와 쓰임
	2nd	Chapter 5 **Activities**	1	Paper Airplanes	대명사 it과 they의 의미와 쓰임
			2	Skateboarding	[How+형용사 ~?]에 대한 대답
	3rd		3	Having a Hobby	[to+동사원형]의 의미와 쓰임
		Chapter 6 **Music**	1	Irene's dream	[동사+동명사]의 쓰임
	4th		2	Musical Instruments	부사의 쓰임과 위치
			3	The School Band	up과 down이 들어간 표현

Month	Week	Book 2	Unit	Contents	Grammar Time
3	1st	Chapter 1 **Science**	1	Dragonflies	about의 의미와 쓰임
			2	Birds, Mammals, and Insects	형용사와 부사의 형태가 같은 단어들
			3	Facts About Our Teeth	비교급과 최상급
	2nd	Chapter 2 **Special Days**	1	Halloween	most의 의미와 쓰임
			2	Parents' Day	현재진행형의 의미와 쓰임
	3rd		3	My First Day	조동사 can
		Chapter 3 **Food**	1	Making Pizza	be going to의 의미와 쓰임

Month	Week	Book2	Unit	Contents	Grammar Time
3	4th	Chapter 3 **Food**	2	Energy from Food	조동사 can의 의문문
			3	Bibimbap	최상급 표현 이해하기
4	1st	Chapter 4 **Music and Musicians**	1	School Choir	전치사 with의 의미와 쓰임
			2	My Favorite Music	so의 의미와 쓰임
			3	Mozart	could의 의미와 쓰임
	2nd	Chapter 5 **Cultures and Customs**	1	Food Culture	have to의 의미와 쓰임
			2	Traditional Clothes	일반동사의 의문문
	3rd		3	Trip to Hong Kong	[Do/Does ~?] 의문문에 대한 대답
		Chapter 6 **Places**	1	Museum	다의어 알아보기
	4th		2	Korea	소유격의 의미와 쓰임
			3	Hotel	부정을 나타내는 단어

Month	Week	Book 3	Unit	Contents	Grammar Time
5	1st	Chapter 1 **Health**	1	Healthy Teeth	접속사 and와 or의 의미와 쓰임
			2	Drinking Water	should의 의미와 쓰임
			3	Regular Exercise	get의 의미와 쓰임
	2nd	Chapter 2 **Wishes**	1	My Wishes	would like to의 의미와 쓰임
			2	An Artist	would like to와 want to의 차이
	3rd		3	Christmas Wishes	동사 send/give의 쓰임
		Chapter 3 **Nature**	1	Deserts	no와 not의 차이
	4th		2	The Sun	비교급 만들기
			3	Polar Bears	as ~ as 비교급
6	1st	Chapter 4 **Historical Figures**	1	Barack Obama	during과 for의 의미와 쓰임
			2	First Man on the Moon	million의 의미와 쓰임
			3	Alfred Nobel	일반동사의 과거형 - 불규칙
	2nd	Chapter 5 **Earth**	1	Asia	명사를 뒤에서 수식하는 경우
			2	The Earth	take의 여러 가지 의미
	3rd		3	Save the Earth	[so that 주어+can ~]의 의미
		Chapter 6 **Stories**	1	The Greedy Dog	셀 수 없는 명사 수 나타내기
	4th		2	The Rabbit and the Turtle	일반동사 과거 부정문 만들기
			3	A Fable	일반동사 과거형의 의문문

Reading Mentor Joy는 각 권당 6개의 Chapter와 18개 Unit으로 구성되어 있습니다.
각 Unit은 다음과 같이 구성되어 있으며, 부가적으로 워크북을 제공하고 있습니다.
또한 Reading Passage 및 어휘를 녹음한 오디오 파일을 제공하여 생생한 영어 읽기 학습이 되도록 하였습니다.

Reading Passage

각 Chapter마다 3개의 Reading Passage가 있습니다. 수준별 다양한 주제의 이야기들을 읽어보세요. 색감이 풍부한 삽화가 이야기를 더욱 생생하게 느끼게 해줍니다. 또한 음원을 통해서 원어민의 발음으로 직접 들어 보세요.

UNIT 1 Healthy Teeth

Do you have healthy teeth?
Here are ways to keep your teeth healthy.

- Brush your teeth after meals or eating sweet snacks.
- Brush all of your teeth, not just the front ones.
- Brush your teeth for 3 minutes.
- Eat lots of fruit and vegetables and drink water instead of soda.
- Wear a mouth guard or full-face helmet when you play sports.
- See your ________ for regular check-ups.
- Visit your dentist if you have a dental problem.
- Change your toothbrush every 3 months.

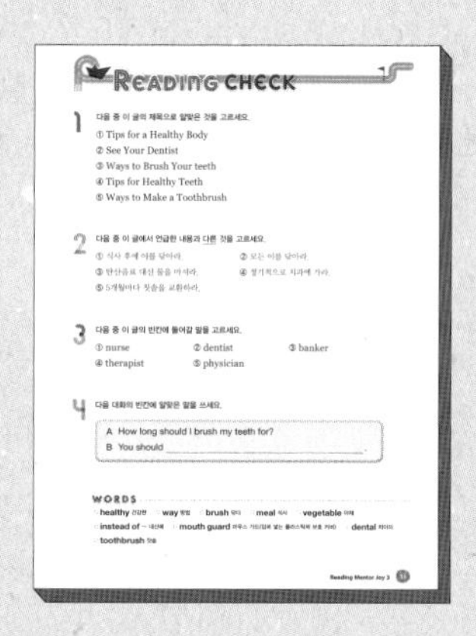
READING CHECK

1 다음 중 이 글의 제목으로 알맞은 것을 고르세요.
① Tips for a Healthy Body
② See Your Dentist
③ Ways to Brush Your teeth
④ Tips for Healthy Teeth
⑤ Ways to Make a Toothbrush

2 다음 중 이 글에서 언급한 내용과 다른 것을 고르세요.
① 식사 후에 이를 닦아라. ② 모든 이를 닦아라.
③ 탄산음료 대신 물을 마셔라. ④ 정기적으로 치과에 가라.
⑤ 5개월마다 칫솔을 교환하라.

3 다음 중 이 글의 빈칸에 들어갈 말을 고르세요.
① nurse ② dentist ③ banker
④ therapist ⑤ physician

4 다음 대화의 빈칸에 알맞은 말을 쓰세요.
A How long should I brush my teeth for?
B You should ________________.

WORDS
healthy 건강한 way 방법 brush 닦다 meal 식사 vegetable 야채
instead of ~ 대신에 mouth guard 마우스 가드(입에 넣는 플라스틱 보호 기구) dental 치아의
toothbrush 칫솔

Reading Mentor Joy 3

Reading Check

앞에서 읽은 재미난 이야기를 잘 이해했는지
문제 풀이를 통해서 확인해 보세요.

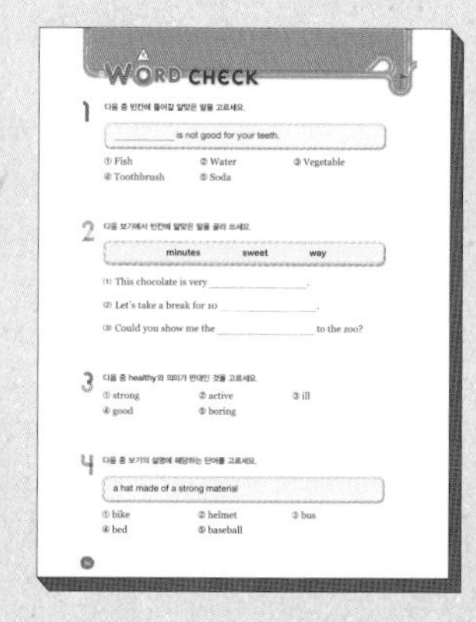
WORD CHECK

1 다음 중 빈칸에 들어갈 알맞은 말을 고르세요.
________ is not good for your teeth.
① Fish ② Water ③ Vegetable
④ Toothbrush ⑤ Soda

2 다음 보기에서 빈칸에 알맞은 말을 골라 쓰세요.
minutes sweet way
(1) This chocolate is very ________.
(2) Let's take a break for 10 ________.
(3) Could you show me the ________ to the zoo?

3 다음 중 healthy와 의미가 반대인 것을 고르세요.
① strong ② active ③ ill
④ good ⑤ boring

4 다음 중 보기의 설명에 해당하는 단어를 고르세요.
a hat made of a strong material
① bike ② helmet ③ bus
④ bed ⑤ baseball

Word Check

Reading Passage에 등장하는 어휘들을 문제를 통해서 쓰임을 알아보세요. 어휘를 보다 폭넓게 이해할 수 있고 쉽게 암기할 수 있습니다.

Grammar Time

Reading Passage에서 모르고 지나쳤던 문법 사항을 확인해 보세요. 문장을 확실하게 이해할 수 있습니다.

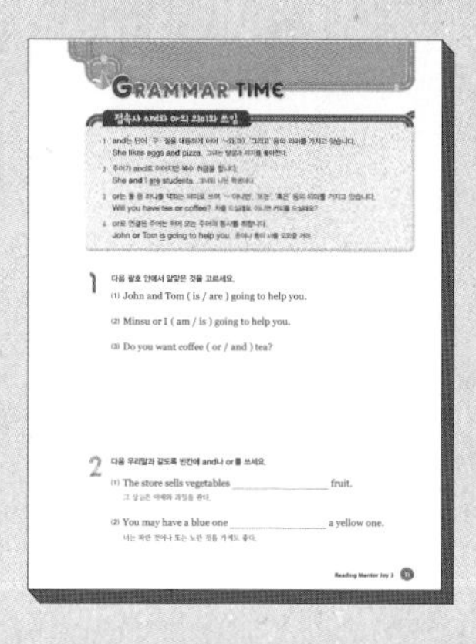
GRAMMAR TIME

1 (1) John and Tom (is / are) going to help you.
(2) Minsu or I (am / is) going to help you.
(3) Do you want coffee (or / and) tea?

2 (1) The store sells vegetables ______ fruit.
(2) You may have a blue one ______ a yellow one.

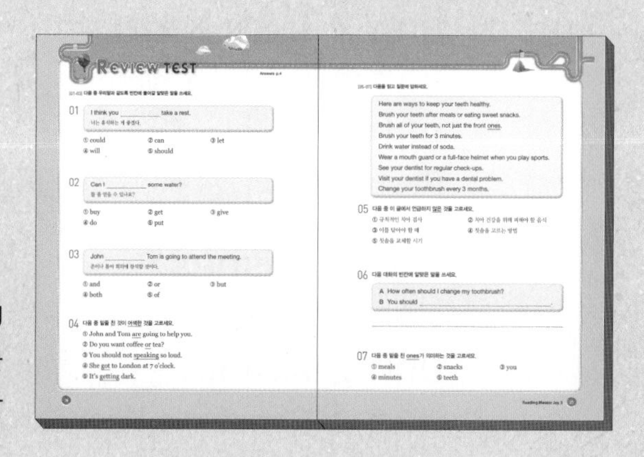
REVIEW TEST

01 I think you ______ take a rest.
① could ② can ③ let ④ will ⑤ should

02 Can I ______ some water?
① buy ② get ③ give ④ do ⑤ put

03 John ______ Tom is going to attend the meeting.
① and ② or ③ but ④ both ⑤ of

04 ① John and Tom are going to help you.
② Do you want coffee or tea?
③ You should not speaking so loud.
④ She got to London at 7 o'clock.
⑤ It's getting dark.

Here are ways to keep your teeth healthy.
Brush your teeth after meals or eating sweet snacks.
Brush all of your teeth, not just the front ones.
Brush your teeth for 3 minutes.
Drink water instead of soda.
Wear a mouth guard or a full-face helmet when you play sports.
See your dentist for regular check-ups.
Visit your dentist if you have a dental problem.
Change your toothbrush every 3 months.

06 A How often should I change my toothbrush?
B You should ______

07 ① meals ② snacks ③ you ④ minutes ⑤ teeth

Review Test

각 Chapter가 끝나면 앞에서 배운 3개의 Reading Passage와 어휘, 문법 등에 대한 총괄적인 문제를 풀어볼 수 있습니다. 배운 내용을 다시 한 번 복습할 수 있는 기회가 됩니다.

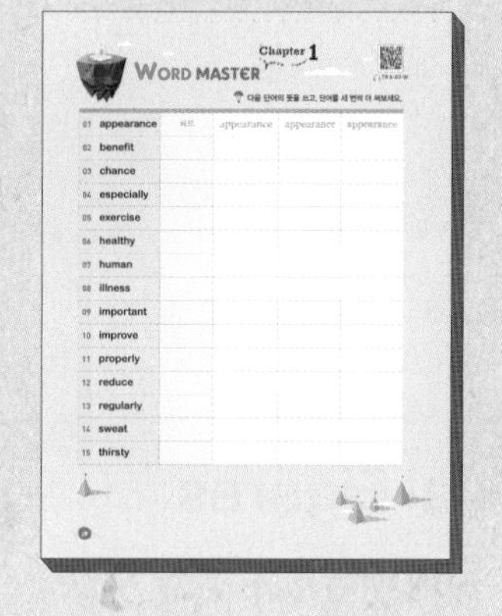
WORD MASTER Chapter 1

01 appearance
02 benefit
03 chance
04 especially
05 exercise
06 healthy
07 human
08 illness
09 important
10 improve
11 properly
12 reduce
13 regularly
14 sweat
15 thirsty

Word Master

다음 Chapter로 넘어가기 전에 잠깐 쉬어 가세요! 어휘는 모든 읽기의 기본입니다. 부담 갖지 마시고 앞에서 배운 단어를 한 번 더 써보고 연습해 보세요.

Answers

정답을 맞춰 보고, 해석과 해설을 통해서 놓친 부분들도 함께 확인해 보세요.

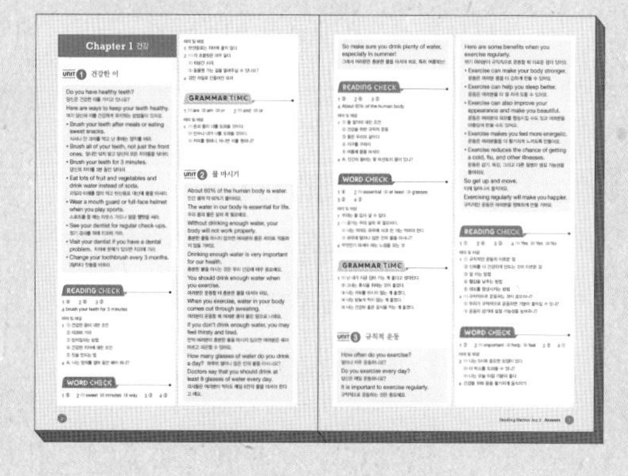
Chapter 1

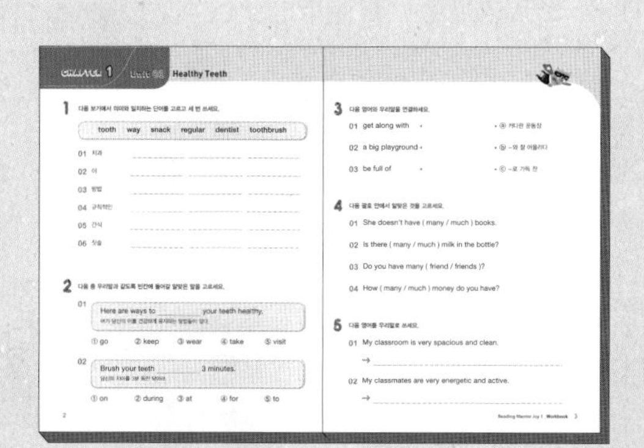
Healthy Teeth

1 tooth way snack regular dentist toothbrush

3 01 get along with
02 a big playground
03 be full of

4 01 She doesn't have (many / much) books.
02 Is there (many / much) milk in the bottle?
03 Do you have many (friend / friends)?
04 How (many / much) money do you have?

2 01 Here are ways to ______ your teeth healthy.
① go ② keep ③ wear ④ take ⑤ visit

02 Brush your teeth ______ 3 minutes.
① on ② during ③ at ④ for ⑤ to

5 01 My classroom is very spacious and clean.
02 My classmates are very energetic and active.

Workbook

별도로 제공되는 워크북은 각 Unit마다 배운 내용을 스스로 풀어보고 연습할 수 있도록 구성했습니다. 스스로 학습할 수 있는 기회로 삼아 보세요.

Contents

Chapter 1

Health

UNIT 1 Healthy Teeth

UNIT 2 Drinking Water

UNIT 3 Regular Exercise

Unit 1 Healthy Teeth

Do you have healthy teeth?

Here are ways to keep your teeth healthy.

- Brush your teeth after meals or eating sweet snacks.
- Brush all of your teeth, not just the front ones.
- Brush your teeth for 3 minutes.
- Eat lots of fruit and vegetables and drink water instead of soda.
- Wear a mouth guard or full-face helmet when you play sports.
- See your __________ for regular check-ups.
- Visit your dentist if you have a dental problem.
- Change your toothbrush every 3 months.

READING CHECK

1 다음 중 이 글의 제목으로 알맞은 것을 고르세요.

① Tips for a Healthy Body
② See Your Dentist
③ Ways to Brush Your teeth
④ Tips for Healthy Teeth
⑤ Ways to Make a Toothbrush

2 다음 중 이 글에서 언급한 내용과 다른 것을 고르세요.

① 식사 후에 이를 닦아라.
② 모든 이를 닦아라.
③ 탄산음료 대신 물을 마셔라.
④ 정기적으로 치과에 가라.
⑤ 5개월마다 칫솔을 교환하라.

3 다음 중 이 글의 빈칸에 들어갈 말을 고르세요.

① nurse
② dentist
③ banker
④ therapist
⑤ physician

4 다음 대화의 빈칸에 알맞은 말을 쓰세요.

A How long should I brush my teeth for?
B You should ______________________________.

WORDS

□ **healthy** 건강한 □ **way** 방법 □ **brush** 닦다 □ **meal** 식사 □ **vegetable** 야채
□ **instead of** ~ 대신에 □ **mouth guard** 마우스 가드(입에 넣는 플라스틱제 보호 커버) □ **dental** 치아의
□ **toothbrush** 칫솔

WORD CHECK

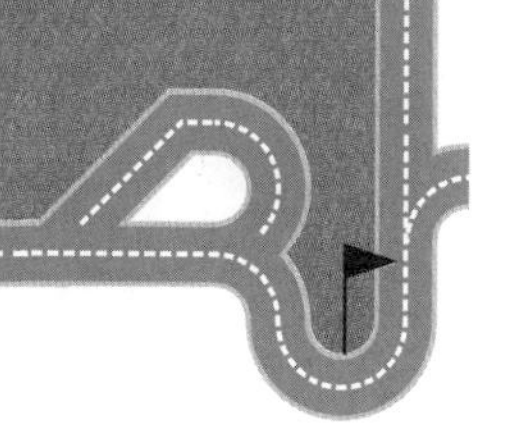

1 다음 중 빈칸에 들어갈 알맞은 말을 고르세요.

_____________ is not good for your teeth.

① Fish ② Water ③ Vegetable
④ Toothbrush ⑤ Soda

2 다음 보기에서 빈칸에 알맞은 말을 골라 쓰세요.

minutes sweet way

(1) This chocolate is very _____________.

(2) Let's take a break for 10 _____________.

(3) Could you show me the _____________ to the zoo?

3 다음 중 healthy와 의미가 반대인 것을 고르세요.

① strong ② active ③ ill
④ good ⑤ boring

4 다음 중 보기의 설명에 해당하는 단어를 고르세요.

a hat made of a strong material

① bike ② helmet ③ bus
④ bed ⑤ baseball

GRAMMAR TIME

접속사 and와 or의 의미와 쓰임

1 and는 단어 · 구 · 절을 대등하게 이어 '~와(과)', '그리고' 등의 의미를 가지고 있습니다.
She likes eggs **and** pizza. 그녀는 달걀과 피자를 좋아한다.

2 주어가 and로 이어지면 복수 취급을 합니다.
She **and** I are students. 그녀와 나는 학생이다.

3 or는 둘 중 하나를 택하는 의미로 쓰여 '~ 아니면', '또는', '혹은' 등의 의미를 가지고 있습니다.
Will you have tea **or** coffee? 차를 드실래요, 아니면 커피를 드실래요?

4 or로 연결된 주어는 뒤에 오는 주어의 동사를 취합니다.
John **or** Tom is going to help you. 존이나 톰이 너를 도와줄 거야.

1 다음 괄호 안에서 알맞은 것을 고르세요.

(1) John and Tom (is / are) going to help you.

(2) Minsu or I (am / is) going to help you.

(3) Do you want coffee (or / and) tea?

2 다음 우리말과 같도록 빈칸에 and나 or를 쓰세요.

(1) The store sells vegetables ____________ fruit.
그 상점은 야채와 과일을 판다.

(2) You may have a blue one ____________ a yellow one.
너는 파란 것이나 또는 노란 것을 가져도 좋다.

UNIT 2 Drinking Water

TR 6-02

About 60% of the human body is water.

The water in our body is essential for life.

Without drinking enough water, your body will not work properly.

Drinking enough water is very important for our health.

You should drink enough water when you exercise.

When you exercise, water in your body comes out through sweating.

If you don't drink enough water, you may feel ________ and tired.

How many glasses of water do you drink a day?

Doctors say that you should drink at least 8 glasses of water every day.

So make sure you drink plenty of water, especially in summer!

READING CHECK

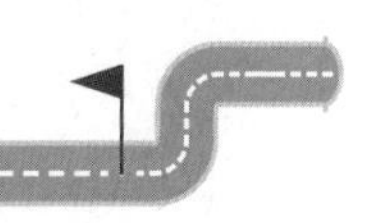

1 다음 중 이 글의 제목으로 알맞은 것을 고르세요.

① Tips for Saving Water
② Regular Exercise for Our Health
③ Water is Our Life
④ Save Our Earth
⑤ Drink Water in Summer

2 다음 중 이 글의 내용과 다른 것을 고르세요.

① 물이 부족하면 피곤함을 느낀다.
② 운동할 때 수분이 몸 밖으로 나온다.
③ 운동할 때 물을 마셔야 한다.
④ 매일 충분한 물을 마셔야 한다.
⑤ 겨울에는 특히 물을 많이 마셔야 한다.

3 다음 중 이 글의 빈칸에 들어갈 알맞은 말을 고르세요.

① clean ② thirsty ③ full
④ essential ⑤ important

4 다음 대화의 빈칸에 알맞은 말을 쓰세요.

A What percentage of water is the human body?
B ______________________________ is water.

WORDS

□ **human** 인간의 □ **essential** 필수의, 중요한 □ **without** ~ 없이 □ **properly** 적당히
□ **important** 중요한 □ **health** 건강 □ **exercise** 운동하다 □ **sweat** 땀, 땀나다 □ **thirsty** 목마른
□ **tired** 피곤한 □ **at least** 적어도 □ **plenty** 많은 □ **especially** 특히

WORD CHECK

1

다음 중 빈칸에 들어갈 알맞은 말을 고르세요.

We can't live ______________ water.

① enough ② toward ③ too
④ without ⑤ on

2

다음 보기에서 빈칸에 알맞은 말을 골라 쓰세요.

at least essential glasses

(1) Air is ______________ for our life.

(2) You should eat ______________ one apple a day.

(3) How many ______________ of water do you drink?

3

다음 중 exercise와 의미가 비슷한 것을 고르세요.

① drink ② work out ③ play
④ go out ⑤ take care of

4

다음 중 보기의 설명에 해당하는 단어를 고르세요.

having a feeling of a need to drink something

① healthy ② enough ③ thirsty
④ important ⑤ tired

GRAMMAR TIME

should의 의미와 쓰임

1 should는 상대방에게 무언가 권장하는 의미로 '~하는 게 좋겠어', '~하는 게 좋을 거야' 등의 의미를 가지고 있습니다. should 다음에는 반드시 동사원형이 와야 합니다.
I think you **should** go to the doctor. 너는 병원에 가는 게 좋겠다.
It's a good movie. You **should** go see it. 그것은 좋은 영화다. 너는 가서 그것을 보는 게 좋겠다.

2 부정문 should not은 shouldn't로 줄여 쓸 수 있으며, '~하지 않는 것이 좋겠다'라는 의미입니다. should not 다음에 반드시 동사원형이 와야 합니다.
You **should not** drive too fast. 너무 빨리 운전하지 않는 게 좋겠다.
You **should not** speak so loud. 그렇게 큰 소리로 말하지 않는 게 좋겠다.
You **shouldn't** eat too much. 너무 많이 먹지 않는 게 좋겠다.

1

다음 영어를 우리말로 쓰세요.

(1) I think you should go home now.

____

(2) She should take a rest.

____

(3) You should not drink coffee.

____

(4) You should not eat late at night.

____

(5) You should eat healthy foods.

____

UNIT 3 Regular Exercise

TR 6-03

How often do you exercise?

Do you exercise every day?

It is important to exercise regularly.

Here are some benefits when you exercise regularly.

- Exercise can make your body stronger.
- Exercise can help you sleep better.
- Exercise can also improve your appearance and make you beautiful.

- Exercise makes you feel more energetic.
- Exercise reduces the chance of getting a ________, flu, and other illnesses.

So get up and move.

Exercising regularly will make you happier.

READING CHECK

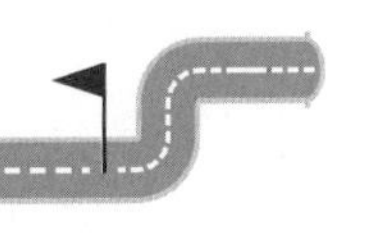

1

다음 중 이 글의 제목으로 알맞은 것을 고르세요.

① Benefits of Exercising Regularly
② Benefits of Making Your Body Stronger
③ How to Sleep Well
④ How to Reduce Blood Pressure
⑤ How to Improve Appearance

2

다음 중 이 글에서 언급한 규칙적인 운동의 이점이 아닌 것을 고르세요.

① 신체를 더 건강하게 한다.
② 잠을 잘 잘 수 있다.
③ 우리를 더욱 행복하게 한다.
④ 친구들을 사귈 기회가 있다.
⑤ 여러 질병에 걸릴 확률을 줄여준다.

3

다음 중 이 글의 빈칸에 들어갈 알맞은 말을 고르세요.

① hair
② skin
③ cold
④ energy
⑤ beauty

4

다음 질문에 Yes나 No로 대답하세요.

(1) Is it important to exercise regularly? Yes No
(2) Can we feel better if we exercise regularly? Yes No
(3) Does exercise increase the chance of getting a cold? Yes No

WORDS

□ **often** 자주 □ **exercise** 운동하다 □ **regularly** 규칙적으로 □ **benefit** 이점 □ **improve** 향상시키다
□ **appearance** 외모 □ **energetic** 활기찬 □ **reduce** 줄이다 □ **chance** 가능성 □ **cold** 감기
□ **flu** 독감 □ **illness** 병

WORD CHECK

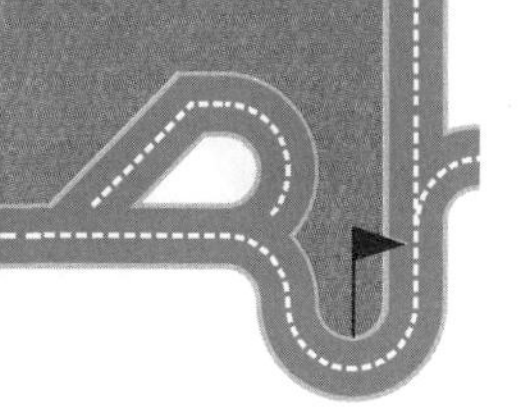

1

다음 중 우리말과 같도록 빈칸에 들어갈 알맞은 말을 고르세요.

Does he exercise ____________?
그는 규칙적으로 운동하니?

① enough ② regularly ③ important
④ energetically ⑤ wisely

2

다음 보기에서 빈칸에 알맞은 말을 골라 쓰세요.

feel	important	help

(1) I have a(n) ____________ meeting at 5 o'clock.

(2) Can you ____________ me with this box?

(3) I ____________ good this morning.

3

다음 중 energetic과 의미가 비슷한 것을 고르세요.

① angry ② low ③ honest
④ funny ⑤ active

4

다음 중 보기의 설명에 해당하는 단어를 고르세요.

to move your body energetically to be healthy

① exercise ② body ③ eat
④ make ⑤ reduce

GRAMMAR TIME

get의 의미와 쓰임

1 get에는 여러 가지 의미가 있으며, 다양한 get의 쓰임을 알아야 올바르게 문장을 이해할 수 있습니다.

2 get의 다양한 의미

~을 받다, ~을 얻다	Can I **get** some water? 물 좀 얻을 수 있나요?
~에 가다, ~에 도착하다	We **got** to London at 7 o'clock. 우리는 7시에 런던에 도착했다.
~ 상태가 되다, 어떤 시간이 되다	He **got** so angry. 그는 매우 화가 났다. It's **getting** dark. 점점 어두워지고 있다.

1

다음 중 보기의 get과 의미가 같은 것을 고르세요.

> What time did you get here?

① Where did you get the book?
② He got mad and walked out.
③ It's getting cold.
④ I got the bag for my birthday from my aunt.
⑤ We got to London at 7 o'clock.

2

다음 영어를 우리말로 쓰세요.

(1) I didn't get a good score on my science test.

____

(2) We got to the museum at 5:45.

____

Answers p.4

[01-03] 다음 중 우리말과 같도록 빈칸에 들어갈 알맞은 말을 쓰세요.

01

I think you ______________ take a rest.
너는 휴식하는 게 좋겠다.

① could ② can ③ let
④ will ⑤ should

02

Can I ______________ some water?
물 좀 얻을 수 있나요?

① buy ② get ③ give
④ do ⑤ put

03

John ______________ Tom is going to attend the meeting.
존이나 톰이 회의에 참석할 것이다.

① and ② or ③ but
④ both ⑤ of

04 다음 중 밑줄 친 것이 어색한 것을 고르세요.

① John and Tom are going to help you.
② Do you want coffee or tea?
③ You should not speaking so loud.
④ She got to London at 7 o'clock.
⑤ It's getting dark.

[05-07] 다음을 읽고 질문에 답하세요.

Here are ways to keep your teeth healthy.
Brush your teeth after meals or eating sweet snacks.
Brush all of your teeth, not just the front ones.
Brush your teeth for 3 minutes.
Drink water instead of soda.
Wear a mouth guard or a full-face helmet when you play sports.
See your dentist for regular check-ups.
Visit your dentist if you have a dental problem.
Change your toothbrush every 3 months.

05 다음 중 이 글에서 언급하지 않은 것을 고르세요.

① 규칙적인 치아 검사
② 치아 건강을 위해 피해야 할 음식
③ 이를 닦아야 할 때
④ 칫솔을 고르는 방법
⑤ 칫솔을 교체할 시기

06 다음 대화의 빈칸에 알맞은 말을 쓰세요.

A How often should I change my toothbrush?
B You should ______________________.

____

07 다음 중 밑줄 친 ones가 의미하는 것을 고르세요.

① meals ② snacks ③ you
④ minutes ⑤ teeth

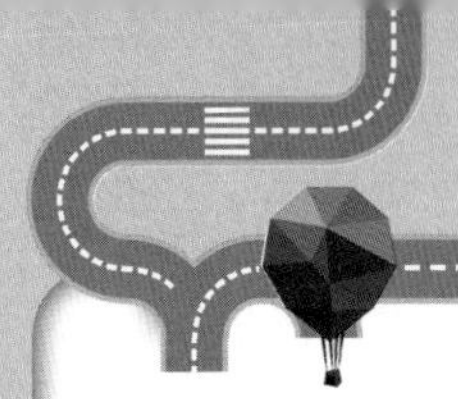

08 다음 중 보기의 설명에 해당하는 단어를 고르세요.

something such as a chocolate bar

① snack ② soda ③ drinks
④ meal ⑤ glass

09 다음 중 그림을 보고 빈칸에 들어갈 알맞은 말을 고르세요.

She's wiping the ________ off her face.

① nose ② sweat ③ teeth
④ hair ⑤ clothes

[10-11] 다음 중 빈칸에 들어갈 알맞은 말을 고르세요.

10

I feel ________. Can I have some water?

① sad ② thirsty ③ angry
④ lonely ⑤ good

11

________ glasses of water do you drink a day?

① How many ② How often ③ How good
④ How long ⑤ How much

12 다음 중 우리말을 영어로 바르게 쓴 것을 고르세요.

당신은 얼마나 자주 수영을 하러 가나요?

① How long do you swim for?
② When do you go swimming?
③ How often do you go swimming?
④ Do you go swimming every day?
⑤ Why do you go swimming?

13 다음 보기에서 빈칸에 알맞은 말을 골라 쓰세요.

health	change	enough

(1) Fresh fruit is good for our ________________.
(2) We don't have ________________ food.
(3) She's going to ________________ her plan.

14 다음 주어진 단어들을 이용하여 문장을 완성하세요.

너는 탄산음료를 마시지 않는 게 좋겠다. (should / drink)
You ________________________________ soda.

____

15 다음 영어를 우리말로 쓰세요.

What time did you get to the airport?

____

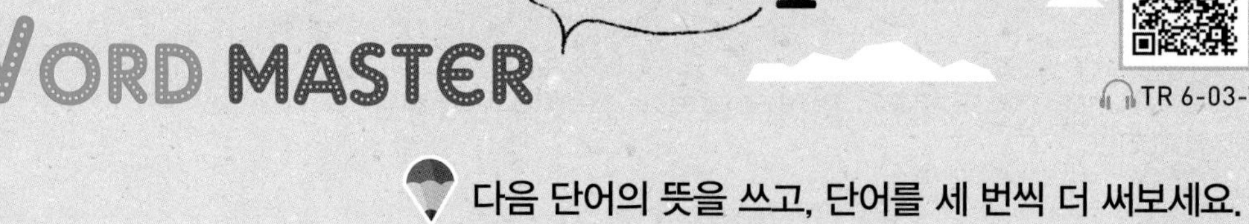

TR 6-03-W

다음 단어의 뜻을 쓰고, 단어를 세 번씩 더 써보세요.

01	appearance	외모	appearance	appearance	appearance
02	benefit				
03	chance				
04	especially				
05	exercise				
06	healthy				
07	human				
08	illness				
09	important				
10	improve				
11	properly				
12	reduce				
13	regularly				
14	sweat				
15	thirsty				

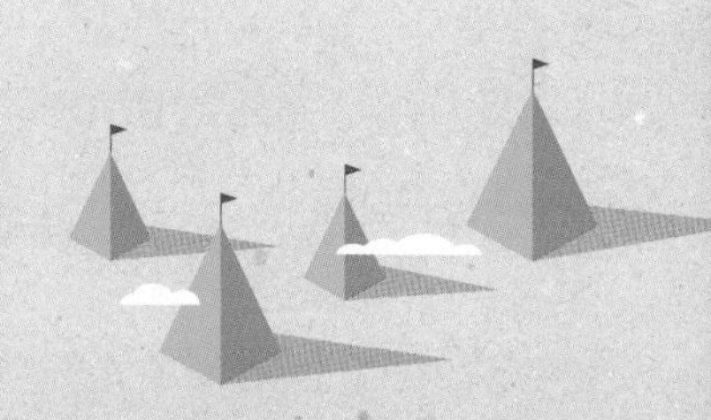

Chapter 2

Wishes

UNIT 1 My Wishes

UNIT 2 An Artist

UNIT 3 Christmas Wishes

UNIT 1 My Wishes

TR 6-04

I have three wishes.

My first wish is to become an astronaut.

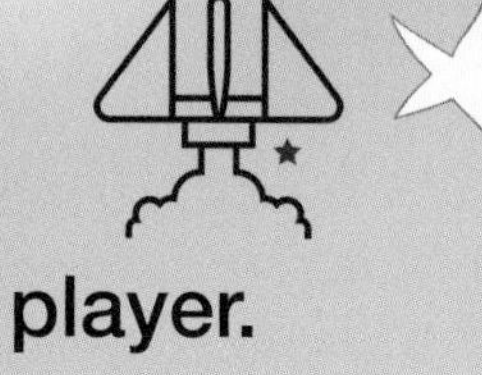

I want to fly in space.

I'd like to see our planet from space.

My second wish is to become a professional baseball player.

Baseball is my favorite sport.

I'm on the club baseball team.

I want to be a major league baseball player in the future.

My third wish is to become a firefighter.

My dad is a ________.

He is strong and brave.

He is my hero.

I want to be a firefighter like my father.

I will try hard to achieve my wishes.

READING CHECK

1 다음 중 이 글의 제목으로 알맞은 것을 고르세요.

① My Three Wishes
② Jobs in the World
③ My Favorite Sports
④ How to Become a Firefighter
⑤ How to Achieve My Wishes

2 다음 중 이 글에서 언급한 내용과 다른 것을 고르세요.

① 글쓴이는 야구를 좋아한다.
② 글쓴이는 우주비행사가 되고 싶어 한다.
③ 글쓴이는 야구 클럽 팀에 소속되어 있다.
④ 글쓴이는 우주선을 만드는 과학자가 되고 싶어 한다.
⑤ 글쓴이는 자신의 꿈을 위해 노력할 것이다.

3 다음 중 이 글의 빈칸에 들어갈 말을 고르세요.

① teacher
② doctor
③ firefighter
④ police officer
⑤ baseball player

4 다음 중 이 글의 내용과 같으면 T에 동그라미를, 다르면 F에 동그라미 하세요.

(1) I want to be a professional baseball player in the future. T F

(2) My second wish is to become a doctor. T F

(3) I'm a member of a club baseball team. T F

WORDS

□ **wish** 소원, 소망 □ **astronaut** 우주비행사 □ **space** 우주 □ **planet** 행성 □ **professional** 프로의
□ **future** 미래 □ **firefighter** 소방관 □ **brave** 용감한 □ **hero** 영웅 □ **achieve** 성취하다

WORD CHECK

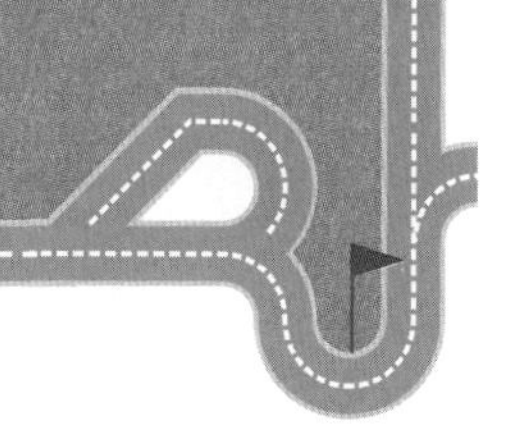

1 다음 중 빈칸에 들어갈 알맞은 말을 고르세요.

Sam sings very well. He's a ________ singer.

① much ② brave ③ favorite
④ careful ⑤ professional

2 다음 보기에서 빈칸에 알맞은 말을 골라 쓰세요.

future **baseball** **strong**

(1) We'd like to play ________.

(2) What do you want to be in the ________?

(3) James is not tall, but he is ________.

3 다음 중 future와 의미가 반대인 것을 고르세요.

① baby ② dream ③ past
④ lamp ⑤ rain

4 다음 중 보기의 설명에 해당하는 단어를 고르세요.

activities such as football and basketball

① sport ② actor ③ gym
④ ground ⑤ ball

GRAMMAR TIME

would like to의 의미와 쓰임

1 would like to는 소망을 나타내는 표현으로 '~하고 싶다', '~하기를 바라다'라는 뜻이며
[want+to+동사원형]으로 바꿔 쓸 수 있습니다.

2 would like to 다음에는 동사원형이 옵니다.
I **would like to** drink water. 나는 물을 마시고 싶다.
= I **want to** drink water. 나는 물을 마시고 싶다.
I **would like to** invite you to my birthday party. 나는 너를 나의 생일 파티에 초대하고 싶다.

3 would like to를 줄여서 'd like to로 쓸 수 있습니다.
I'**d like to** go swimming. 나는 수영하러 가고 싶다.

1 다음 괄호 안에서 알맞은 것을 고르세요.

(1) I would like (to go / going) shopping.

(2) She wants (buy / to buy) a new computer.

2 다음 영어를 우리말로 쓰세요.

(1) I would like to watch TV.

____

(2) We would like to help you.

____

(3) We'd like to have pizza for lunch.

____

UNIT 2 An Artist

TR 6-05

My older sister Ann likes drawing.

She spends her free time drawing pictures.

She feels very happy when she completes a painting.

She wants to become an artist when she grows up.

She likes drawing pictures of people and animals.

She also likes drawing flowers and trees.

She uses crayons or paint to draw pictures.

Her teacher told her that she is very good at painting.

My family and friends admire her paintings.

She's going to participate in a drawing competition next month.

She practices drawing for 2 hours every day.

She wants to improve her drawing skills.

I hope my sister will win first prize in the ________.

READING CHECK

1

다음 중 이 글에서 언급하지 않은 것을 고르세요.

① Ann의 취미
② Ann의 그림 연습을 하는 시간
③ Ann이 이용하는 그림 도구
④ Ann이 그리는 대상
⑤ Ann이 좋아하는 동물

2

다음 중 이 글에서 언급한 내용과 다른 것을 고르세요.

① Ann은 사람 그리는 것을 좋아한다.
② Ann은 연필을 이용해 그림을 그린다.
③ 다음 달에 미술대회가 열린다.
④ Ann은 매일 그림 그리는 연습을 한다.
⑤ Ann은 동물 그리는 것을 좋아한다.

3

다음 중 이 글의 빈칸에 들어갈 말을 고르세요.

① dream
② hobby
③ drawing skills
④ painting
⑤ competition

4

다음 대화의 빈칸에 알맞은 말을 쓰세요.

A What does Ann do when she is free?
B She ____________________.

WORDS

□ **spend** (시간을) 보내다 □ **picture** 그림 □ **complete** 완성하다 □ **artist** 화가, 예술가 □ **also** 또한
□ **use** 사용하다 □ **crayon** 크레용 □ **paint** 물감 □ **admire** 칭찬하다 □ **participate** 참가하다
□ **competition** 대회 □ **practice** 연습하다 □ **improve** 향상시키다 □ **skill** 기술, 솜씨

WORD CHECK

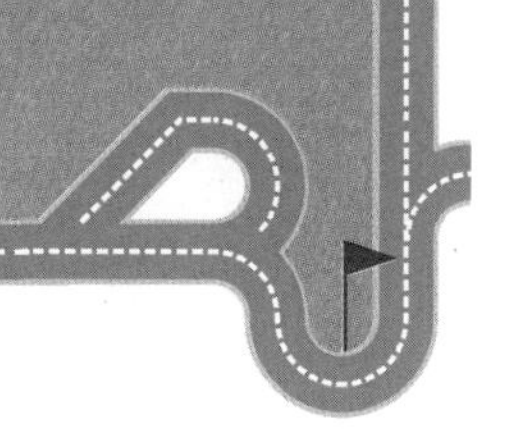

1

다음 중 빈칸에 들어갈 알맞은 말을 고르세요.

I want to improve my English speaking ________.

① book ② trip ③ library
④ skills ⑤ contest

2

다음 보기에서 빈칸에 알맞은 말을 골라 쓰세요.

flowers **good** **competition**

(1) I got a prize in a writing ________.

(2) I'm going to water the ________.

(3) She is ________ at swimming.

3

다음 중 그림을 보고 빈칸에 들어갈 알맞은 말을 고르세요.

The boy is ________ the moon.

① making ② doing ③ drawing
④ picking ⑤ becoming

4

다음 중 보기의 설명에 해당하는 단어를 고르세요.

a living creature such as a dog, lion, or rabbit

① flower ② fish ③ animal
④ tree ⑤ book

GRAMMAR TIME

would like to와 want to의 차이

would like to와 want to는 의미가 유사하지만 다음과 같은 차이가 있습니다.

want to	~을 원하다, ~을 하고 싶다
would like to	~하고 싶다, ~ 했으면 좋겠다

1 want to는 would like to보다 직접적이며, 강한 표현입니다.
I **want to** be your friend. 나는 네 친구가 되고 싶다.

2 would like to는 want to와 달리 공손하고 격식을 갖춘 표현입니다.
직접적으로 '~을 원해', '~하고 싶어'라고 말하는 것이 아니고 '~했으면 좋겠다'의 의미로 나보다 나이가 많은 분에게 사용할 수 있습니다.
I **would like to** be your friend. 나는 네 친구가 됐으면 좋겠다.

3 would like to 다음에는 동사원형이 오고, would like 다음에는 명사가 와서 '~을 원하다'라는 의미로 사용합니다.
I **would like** some coffee. 나는 커피를 마시고 싶다.

1

다음 영어를 우리말로 쓰세요.

(1) I want to take a walk.

______

(2) Would you like some tea?

______

(3) We want to meet you again.

______

(4) I would like to thank you.

______

UNIT 3 Christmas Wishes

Christmas falls on the 25th of December.

Christmas celebrates the birth of Jesus.

On Christmas day, Christians wear new clothes and go to church.

People from other religions also enjoy Christmas.

People send Christmas cards to their family and friends.

People put up Christmas trees at home.

They decorate them with lights and ornaments.

People hang Christmas stockings near the fireplace on Christmas Eve so that Santa Claus can fill them up with gifts.

On Christmas day, people meet their family and have lunch together.

Merry Christmas and Happy New Year!

Make the season full of joy, peace, love, and hope.

READING CHECK

1

다음 중 이 글에서 언급한 내용과 다른 것을 고르세요.

① 기독교인들은 성탄절에 교회에 간다.

② 크리스마스에 가족을 만나 함께 식사를 한다.

③ 사람들은 집에 크리스마스트리를 놓는다.

④ 전구와 장신구들로 크리스마스트리를 장식한다.

⑤ 기독교인만 크리스마스를 즐긴다.

2

다음 중 사람들이 양말을 걸어두는 이유를 고르세요.

① to get gifts from Santa Claus

② to decorate a fireplace

③ to share gifts with one another

④ to decorate a living room

⑤ to decorate a Christmas tree

3

다음 중 이 글의 밑줄 친 them이 의미하는 것을 고르세요.

① Christmas stockings

② Christmas gifts

③ fireplaces

④ people

⑤ Christmas trees

4

다음 중 이 글의 내용과 같으면 T에 동그라미를, 다르면 F에 동그라미 하세요.

(1) Non-Christians also enjoy Christmas. T F

(2) People put up a Christmas tree near the fireplace. T F

(3) People go out for dinner on Christmas day. T F

WORDS

□ **celebrate** 축하하다 □ **birth** 탄생 □ **clothes** 옷 □ **church** 교회 □ **religion** 종교

□ **decorate** 장식하다 □ **light** 전구 □ **ornament** 장신구 □ **stocking** 양말 □ **fireplace** 벽난로

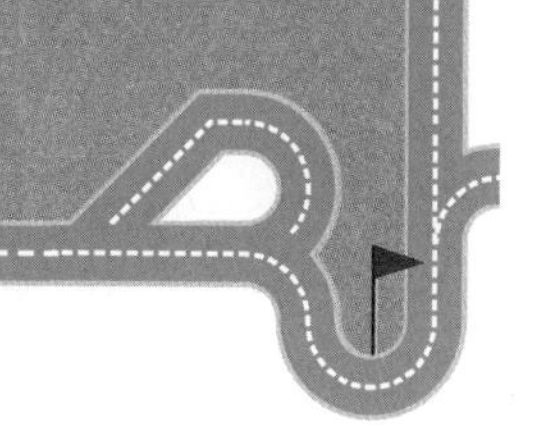

WORD CHECK

1

다음 중 빈칸에 들어갈 알맞은 말을 고르세요.

Amy got a doll for a birthday __________.

① dinner ② cake ③ card
④ party ⑤ gift

2

다음 보기에서 빈칸에 알맞은 말을 골라 쓰세요.

send December church

(1) __________ is the last month of the year.

(2) We go to __________ every Sunday.

(3) I'll __________ you a text message.

3

다음 중 그림을 보고 빈칸에 들어갈 알맞은 말을 고르세요.

They are __________ a Christmas tree.

① getting ② cutting ③ decorating
④ picking ⑤ climbing

4

다음 중 보기의 설명에 해당하는 단어를 고르세요.

things such as shirts, coats, trousers, and dresses

① clothes ② snacks ③ meat
④ meals ⑤ plants

GRAMMAR TIME

동사 send / give의 쓰임

1 send와 give는 수여동사라고 합니다. 수여는 '~을 주다'라는 의미입니다.
'상장을 수여하다'에서 사용되는 '수여'와 같습니다.

2 send와 give 같은 수여동사는 목적어가 두 개 와서 '~에게 ~을 보내다', '~에게 ~을 주다'라는 의미로 사용합니다.

I'll **send** him a Christmas card. 나는 그에게 크리스마스카드를 보낼 것이다

I **gave** him my pencil. 나는 그에게 나의 연필을 주었다.

3 send와 give 같은 수여동사는 to를 이용해서 사용할 수도 있습니다.

I'll **send** him a Christmas card. 나는 그에게 크리스마스카드를 보낼 것이다.

→ I'll **send** a Christmas card to him.

I **gave** him my pencil. 나는 그에게 나의 연필을 주었다.

→ I **gave** my pencil to him.

1

다음 우리말과 같도록 주어진 단어들을 알맞게 배열하세요.

(1) 나는 그녀에게 꽃을 주었다. (her / to / gave / a flower)

I ______________________________.

(2) 그녀는 내게 책을 보여주었다. (showed / the book / me)

She ______________________________.

(3) 나는 그에게 편지를 보냈다. (sent / him / a letter / to)

I ______________________________.

2

다음 영어를 우리말로 쓰세요.

(1) He gave me 5 dollars.

____

(2) I sent some flowers to her.

____

Answers p.7

[01-03] 다음 중 우리말과 같도록 빈칸에 들어갈 알맞은 말을 고르세요.

01

I ________ drink some water.
나는 물을 좀 마셨으면 좋겠다.

① can ② would like to ③ am going to
④ will ⑤ should

02

I'll send a letter ________ him.
나는 그에게 편지를 보낼 것이다.

① in ② to ③ for
④ on ⑤ of

03

________ you like some coffee?
커피 드시겠습니까?

① Are ② Did ③ Should
④ Can ⑤ Would

04 다음 중 문장이 어색한 것을 고르세요.

① I want to be your friend.
② I would like to be your friend.
③ She wants to go swimming.
④ I gave him to my pencil.
⑤ She showed me her picture.

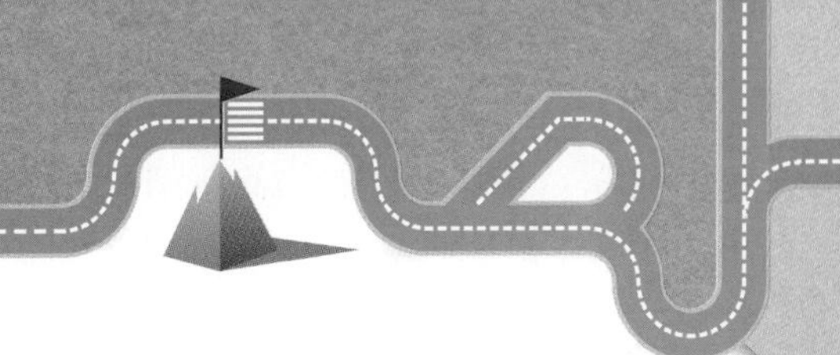

[05-07] 다음을 읽고 질문에 답하세요.

My older sister Ann likes drawing.
She spends her free time drawing pictures.
She likes drawing pictures of people and animals.
She also likes drawing flowers.
She often goes hiking to draw pictures of flowers.
She uses crayons or pencils to ________ pictures.
There is going to be an art contest at her school.
She wants to win first prize in the contest.
She practices drawing for 2 hours every day.
She wants to become an artist when she grows up.

05 다음 중 이 글에서 알 수 없는 질문을 고르세요.

① What does Ann want to be when she grows up?
② What does Ann do when she is free?
③ What does Ann like to draw?
④ How often does Ann go hiking?
⑤ How long does Ann practice drawing for?

06 다음 중 빈칸에 들어갈 알맞은 말을 고르세요.

Ann is going to ________ an art contest.

① take part in ② take care of ③ get on
④ put on ⑤ pick up

07 다음 중 이 글의 빈칸에 들어갈 알맞은 말을 고르세요.

① sell ② draw ③ buy
④ go ⑤ pick

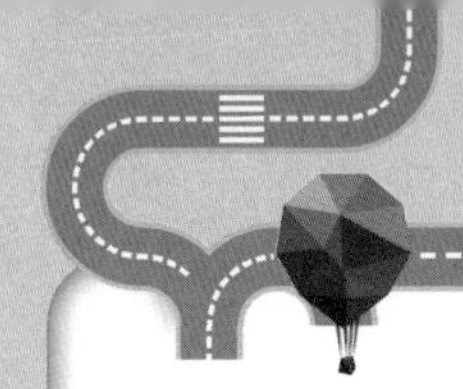

08 다음 중 보기의 설명에 해당하는 단어를 고르세요.

a light midday meal between breakfast and dinner

① snack ② cafeteria ③ rice
④ steak ⑤ lunch

09 다음 중 그림을 보고 빈칸에 들어갈 알맞은 말을 고르세요.

They're ____________ dinner at a restaurant.

① having ② drinking ③ making
④ selling ⑤ ordering

[10-11] 다음 중 빈칸에 들어갈 알맞은 말을 고르세요.

10 My dream is to ____________ a movie director.

① being ② want ③ do
④ become ⑤ like

11 She ____________ a lot of time practicing the piano.

① spends ② tries ③ likes
④ makes ⑤ takes

12 다음 중 우리말을 영어로 바르게 표현한 것을 고르세요.

그는 자주 영화를 보러 간다.

① He always goes to the movies.
② He often goes to the movies.
③ He never goes to the movies.
④ He doesn't go to the movies.
⑤ He would like to go to the movies.

13 다음 보기에서 빈칸에 알맞은 말을 골라 쓰세요.

hours **planet** **astronaut**

(1) We worked for ________________ without taking a break.

(2) He was Korea's first ________________.

(3) It is very important to protect our ________________.

14 다음 주어진 단어들을 이용하여 문장을 완성하세요.

그는 나에게 그의 모자를 주었다. (me / his cap / gave)

He ________________________________.

____

15 다음 영어를 우리말로 쓰세요.

I'd like to see our planet from space.

____

WORD MASTER Chapter 2

TR 6-06-W

다음 단어의 뜻을 쓰고, 단어를 세 번씩 더 써보세요.

01	achieve	성취하다	achieve	achieve	achieve
02	astronaut				
03	brave				
04	celebrate				
05	competition				
06	complete				
07	decorate				
08	fireplace				
09	future				
10	ornament				
11	participate				
12	planet				
13	practice				
14	religion				
15	space				

Chapter 3

Nature

UNIT 1 Deserts

TR 6-07

Deserts are the driest places on the Earth.

The largest and hottest desert on the Earth is the Sahara Desert.

The Sahara Desert is located in northern Africa.

There is very little rain in deserts.

There are not many plants in deserts.

But deserts are home to a variety of animals.

Camels live in dry areas like deserts.

Coyotes and rattlesnakes live in deserts in the United States.

Many people think that all deserts are hot and sandy.

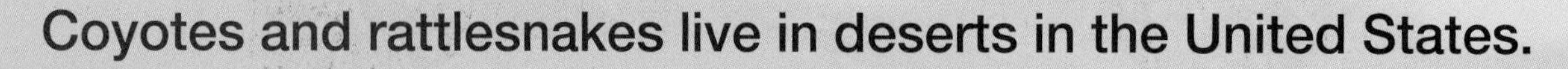

But some deserts are very __________.

Antarctica is a cold desert.

It is the coldest desert on the Earth.

There is no rain in Antarctica.

It is covered with ice.

READING CHECK

1 다음 중 이 글에서 언급하지 않은 것을 고르세요.

① 사막에 사는 동물　　② 사하라 사막의 위치
③ 사막의 평균 기온　　④ 추운 지역의 사막
⑤ 지구에서 가장 크고 더운 사막

2 다음 중 이 글에서 언급한 내용과 다른 것을 고르세요.

① 사막은 지구에서 가장 건조한 곳이다.
② 사막에는 식물들이 전혀 존재하지 않는다.
③ 사하라 사막이 지구에서 가장 크고 더운 사막이다.
④ 미국 사막에는 방울뱀이 산다.
⑤ 남극에는 비가 오지 않는다.

3 다음 중 이 글의 빈칸에 들어갈 말을 고르세요.

① cold　　② hot　　③ big
④ small　　⑤ sandy

4 다음 대화의 빈칸에 들어갈 알맞은 말을 쓰세요.

A What is Antarctica covered with?
B It's ______________________________.

WORDS

□ **desert** 사막　□ **dry** 건조한　□ **locate** 위치하다　□ **plant** 식물　□ **variety** 다양　□ **camel** 낙타
□ **coyote** 코요테　□ **rattlesnake** 방울뱀　□ **sandy** 모래의　□ **Antarctica** 남극 대륙　□ **cover** 덮다

WORD CHECK

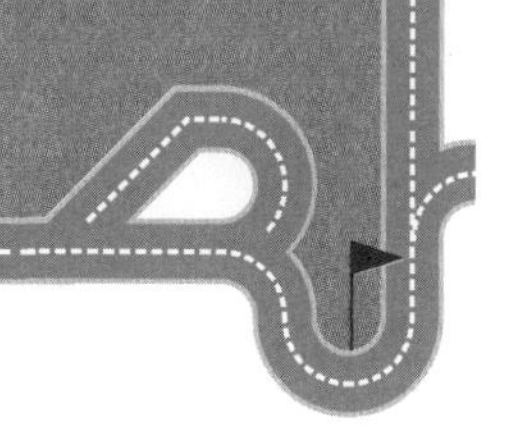

1 다음 중 빈칸에 들어갈 알맞은 말을 고르세요.

There are almost no water, rain, trees, or plants in ___________.

① Africa ② deserts ③ mountains
④ ice ⑤ beaches

2 다음 보기에서 빈칸에 알맞은 말을 골라 쓰세요.

home **rain** **hot**

(1) Look at the sky. It's going to ___________.

(2) It's very ___________ today.

(3) Could you drive me ___________?

3 다음 중 **dry**와 의미가 반대인 것을 고르세요.

① hot ② soft ③ wet
④ cold ⑤ tall

4 다음 중 보기의 설명에 해당하는 단어를 고르세요.

frozen water

① ocean ② coffee ③ soda
④ rain ⑤ ice

GRAMMAR TIME

no와 not의 차이

1 not은 기본적으로 동사를 부정할 때 사용하며 be동사를 부정할 때는 [be+not]으로 나타냅니다.
일반동사를 부정할 때는 [do/does+not+동사원형]의 형태로 옵니다.

2 not은 정관사 the, 부정관사 a/an이 붙은 명사나 any, much, many, enough 앞에 사용합니다.
She is **not** a teacher. 그녀는 선생님이 아니다.
I do **not** have any money. 나는 돈이 전혀 없다.

3 no는 형용사로 명사 앞에 와서 명사를 부정할 때 사용하며, 이때 명사에 관사를 붙이지 않습니다.
I have **no** money. = I do**n't**(do **not**) have any money.
나는 돈이 없다.
I have **no** bicycle. (o) I have no a bicycle. (x)
나는 자전거가 없다.

1

다음 괄호 안에서 알맞은 것을 고르세요.

(1) There's (no / don't) evidence.

(2) There (is no / isn't) any water in the bottle.

(3) She has no (friends / a friend).

(4) They have (not / no) money.

(5) She is not (doctor / a doctor).

2

다음 두 문장이 의미가 같도록 빈칸에 알맞은 말을 쓰세요.

I have no money.
= I ______________ have any money.

UNIT 2 The Sun

TR 6-08

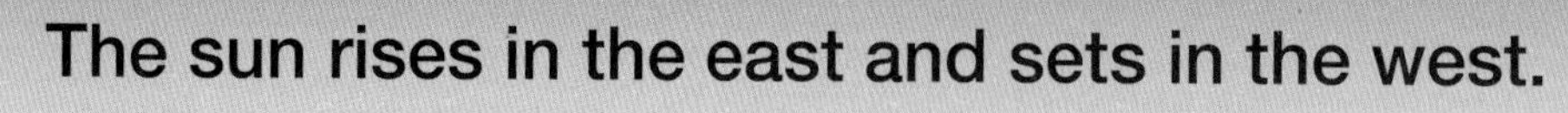

The sun rises in the east and sets in the west.

The sun looks like a ball of fire.

The sun is very far from the Earth.

The temperature of the sun is around 10,000 degrees.

The sun is the largest object in the solar system.

The sun is much bigger than the Earth.

The sun's diameter is about 110 times wider than the Earth's.

Light from the sun takes 8 minutes and 20 seconds to reach the Earth.

The sun gives us energy and warmth.

The sun keeps us __________ during winter.

Without the sun, no life can exist on the Earth.

Without the sun, the Earth would be a frozen wasteland.

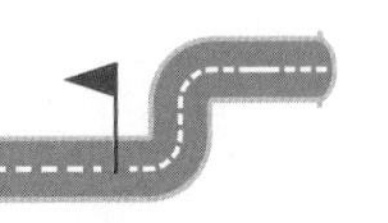

1

다음 중 이 글에서 언급하지 않은 것을 고르세요.

① the shape of the sun
② the size of the sun
③ the temperature of the sun
④ the role of the sun
⑤ the distance of the sun from the Earth

2

다음 중 이 글의 내용과 다른 것을 고르세요.

① 태양은 지구에서 멀리 떨어져 있다.
② 태양은 태양계에서 제일 크다.
③ 태양에서 지구까지 빛이 도달하는 데 8분 20초 걸린다.
④ 태양의 지름은 지구보다 11배 크다.
⑤ 태양이 없으면 지구에 생명체가 살 수 없다.

3

다음 중 이 글의 빈칸에 들어갈 알맞은 말을 고르세요.

① cold
② busy
③ beautiful
④ warm
⑤ sad

4

다음 중 빈칸에 들어갈 수 없는 말을 고르세요.

Without the sun, there are no __________ on the Earth.

① insects
② trees
③ animals
④ plants
⑤ wastelands

WORDS

□ **rise** (해 등) 뜨다 □ **set** (해 등) 지다 □ **temperature** 온도 □ **around** 대략, ~쯤
□ **solar system** 태양계 □ **diameter** 지름 □ **energy** 에너지 □ **warmth** 따뜻함 □ **life** 생명체
□ **exist** 존재하다 □ **frozen** 얼어 있는 □ **wasteland** 황무지

WORD CHECK

1 다음 중 우리말과 같도록 빈칸에 들어갈 알맞은 말을 고르세요.

How ____________ is it your school?
너의 학교까지 얼마나 머니?

① large ② long ③ tall
④ often ⑤ far

2 다음 보기에서 빈칸에 알맞은 말을 골라 쓰세요.

sun	energy	winter

(1) Food gives us ____________________.

(2) The Earth moves round the ____________________.

(3) We have a lot of snow in ____________________.

3 다음 중 far와 의미가 반대인 것을 고르세요.

① near ② heavy ③ cold
④ deep ⑤ high

4 다음 중 보기의 설명에 해당하는 단어를 고르세요.

the season between autumn and spring

① cold ② winter ③ hot
④ January ⑤ energy

GRAMMAR TIME

비교급 만들기

1 비교급은 [형용사+er]로 나타냅니다.

2 형용사가 2음절 이상일 때에는 [more+형용사]로 씁니다.
(2음절이지만 -er를 붙이는 경우도 있습니다.)

3 [비교급+than]으로 쓰여 '~보다 더 …한'의 뜻을 나타냅니다.
I am **taller than** Alice. 나는 앨리스보다 키가 더 크다.
Movies are **more interesting than** TV. 영화는 TV보다 더 재미있다.

4 비교급 만들기

1음절 단어에는 -er를 붙입니다.	fast - fast**er**	short - short**er**
e로 끝나는 1음절 단어에는 -r만 붙입니다.	nice - nice**r**	large - large**r**
[자음+모음+자음]으로 이루어진 단어는 마지막 자음을 한 번 더 쓰고 -er를 붙입니다.	fat - fat**ter** big - big**ger**	thin - thin**ner** hot - hot**ter**
[자음+y]로 끝나는 단어는 y를 i로 고치고 -er를 붙입니다. - (2음절 단어)	happy - happ**ier** dirty - dirt**ier**	early - earl**ier** dry - dr**ier**

TIPS 영어에서 음절이란 발음상의 모음(글자로는 a, e, i o, u)을 기준으로 판단합니다.
모음이 하나면 1음절입니다. easy[i:zi]는 모음이 [i:]와 [i] 2개로 2음절이지만 -er를 붙여 비교급을 만듭니다. 2음절어 중 y로 끝나는 단어는 y를 i로 고치고 -er를 붙입니다.
careful → care/ful (2음절) → more careful
beautiful → beau/ti/ful (3음절) → more beautiful

1

다음 주어진 단어를 이용하여 빈칸에 알맞은 말을 쓰세요.

(1) My dog is ____________________ than your cat. (fat)

(2) My house is ____________________ than your house. (small)

(3) The subway is ____________________ than the bus. (comfortable)

(4) The dog is ____________________ than my dog. (big)

UNIT 3 Polar Bears

TR 6-09

Many animals live in cold climates.

One of them is the polar bear.

Polar bears live in the Arctic.

They have thick white fur.

They are strong and fast.

They can run as fast as 40*km* per hour.

They get their food from the sea.

They eat seals and fish.

They spend much of their time on the ice.

Due to global warming, the ice in the Arctic is melting.

Polar bears have lost their homes.

The number of polar bears is decreasing.

We have to make a plan to save the polar

bears before they are gone forever.

READING CHECK

1

다음 중 이 글에서 언급하지 않은 것을 고르세요.

① 북극곰의 서식지　② 북극곰의 먹이
③ 북극곰 털 색깔　④ 얼음이 녹는 이유
⑤ 북극곰을 구하는 방법

2

다음 중 이 글에서 언급한 내용과 다른 것을 고르세요.

① 북극곰은 추운 지역에 산다.　② 북극곰은 얼음 위에서 지낸다.
③ 북극에는 많은 물고기가 있다.　④ 북극곰은 바다에서 먹이를 구한다.
⑤ 북극곰의 수가 줄어들고 있다.

3

다음 중 밑줄 친 gone forever 대신 사용할 수 있는 말을 고르세요.

① existing　② extinct　③ alone
④ together　⑤ living

4

다음 대화의 빈칸에 알맞은 말을 쓰세요.

A How fast can polar bears run?
B They ______________________________.

WORDS

□ **climate** 기후　□ **Arctic** 북극　□ **thick** 두꺼운　□ **fur** 털　□ **hour** 시간　□ **seal** 바다표범
□ **global warming** 온난화　□ **melt** 녹다　□ **decrease** 줄다　□ **forever** 영원히

WORD CHECK

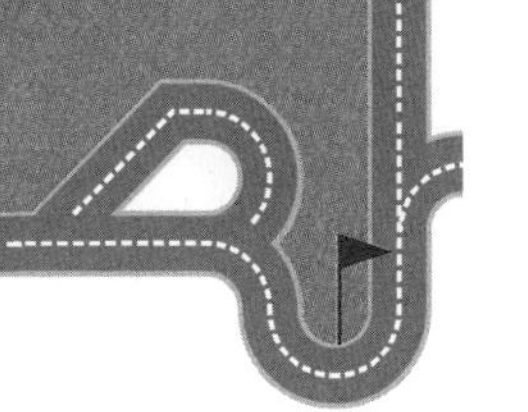

1 다음 중 우리말과 같도록 빈칸에 들어갈 알맞은 말을 고르세요.

Most animals ______________ their food from plants.
대부분의 동물들은 식물에서 음식을 얻는다.

① spend ② give ③ do
④ have ⑤ get

2 다음 보기에서 빈칸에 알맞은 말을 골라 쓰세요.

fish **spend** **plans**

(1) The boy is catching ______________.

(2) Do you have any ______________ for tomorrow?

(3) I ______________ a lot of time with my friends.

3 다음 중 thick과 의미가 반대인 것을 고르세요.

① near ② thin ③ long
④ deep ⑤ hot

4 다음 중 보기의 설명에 해당하는 단어를 고르세요.

a large, strong wild animal with thick fur and sharp claws

① fish ② bear ③ bird
④ elephant ⑤ dolphin

GRAMMAR TIME

as~as 비교급

1 [as+형용사/부사+as]는 '~만큼 …한'이란 뜻으로 비교하는 대상들이 어떠한 점에서 동등한 상태일 때 사용합니다.

This chair is **as** comfortable **as** that chair. 이 의자는 저 의자만큼 편안하다.

A dog runs **as** fast **as** a rabbit. 개는 토끼만큼 빨리 달린다.

2 [not as+형용사/부사+as]는 '~만큼 …하지 않은'이란 뜻으로 비교하는 대상 두 가지가 서로 어떠한 점에서 다를 때 사용합니다.

Tom is **not as** honest **as** John. 톰은 존만큼 정직하지 않다.

1 다음 서로 비교 대상이 되는 두 개의 사물에 동그라미 하세요.

(1) My room is as clean as your room.

(2) This computer is as expensive as that one.

(3) My hair is as dark as Vivian's hair.

2 다음 영어를 우리말로 쓰세요.

(1) My legs are as long as my mother's legs.

______________________________.

(2) Susan is not as strong as Cathy.

______________________________.

(3) Susie can run as fast as Kevin.

______________________________.

Answers p.10

[01-03] 다음 중 우리말과 같도록 빈칸에 들어갈 알맞은 말을 쓰세요.

01

I am ____________ than Alice.
내가 앨리스보다 키가 더 작다.

① heavier ② longer ③ bigger
④ shorter ⑤ taller

02

Jack is as smart ____________ Tom.
잭은 톰만큼 영리하다.

① as ② than ③ to
④ not as ⑤ so

03

There ____________ any water in the bottle.
병에 물이 조금도 없다.

① is no ② are no ③ is not
④ does not ⑤ are not

04 다음 중 문장이 어색한 것을 고르세요.

① They have no money.
② She is not a doctor.
③ My dog is fatter than your cat.
④ My room is not as clean as your room.
⑤ This chair is comfortable than that chair.

[05-07] 다음을 읽고 질문에 답하세요.

The sun looks like a ball of fire.
The sun is very far from the Earth.
The temperature of the sun is around 10,000 degrees.
The sun is the largest object in the solar system.
The sun is much bigger than the Earth.
The sun's diameter is about 110 times wider than the Earth's.
Light from the sun takes 8 minutes and 20 seconds to reach the Earth.
The sun gives us energy and warmth.
Without the sun, no life can exist on the Earth.
Without the sun, the Earth would be a frozen wasteland.

05 다음 중 이 글에서 알 수 없는 질문을 고르세요.

① What does the sun look like?
② How hot is the sun?
③ What is the largest object in the solar system?
④ Why is the sun so hot?
⑤ How big is the sun?

06 다음 중 빈칸에 알맞은 말을 쓰세요.

The sun gives energy and warmth ________ us.

07 다음 중 밑줄 친 exist와 의미가 유사한 것을 고르세요.

① build ② survive ③ have
④ hang ⑤ support

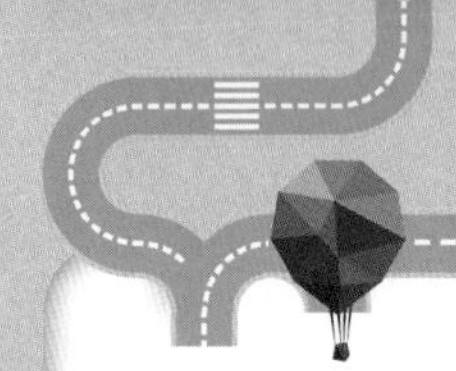

08 다음 중 보기의 설명에 해당하는 단어를 고르세요.

a large animal living in deserts

① scorpion ② horse ③ snake
④ elephant ⑤ camel

09 다음 중 그림을 보고 빈칸에 들어갈 알맞은 말을 고르세요.

She slipped on the ____________.

① ground ② ice ③ sea
④ street ⑤ carpet

[10-11] 다음 중 빈칸에 들어갈 알맞은 말을 고르세요.

10

We want to move to a warmer ____________.

① fish ② animal ③ food
④ clothes ⑤ climate

11

She ____________ like her mother.

① rises ② looks ③ takes
④ gives ⑤ makes

12 다음 중 우리말을 영어로 바르게 표현한 것을 고르세요.

지구는 태양보다 훨씬 더 작다.

① The sun is bigger than the Earth.
② The sun is much bigger than the Earth.
③ The Earth is small than the sun.
④ The Earth is much small than the sun.
⑤ The Earth is much smaller than the sun.

13 다음 보기에서 빈칸에 알맞은 말을 골라 쓰세요.

live **December** **rain**

(1) In ________________, the weather is very cold.

(2) It looks like ________________.

(3) I'd like to ________________ in the country.

14 다음 주어진 단어들을 이용하여 문장을 완성하세요.

나는 돈이 조금도 없다. (have / any / not)
I ______________________________ money.

____

15 다음 영어를 우리말로 쓰세요.

Due to global warming, the ice in the Arctic is melting.

____

Word Master

Chapter 3

TR 6-09-W

다음 단어의 뜻을 쓰고, 단어를 세 번씩 더 써보세요.

01	camel	낙타	camel	camel	camel
02	climate				
03	cover				
04	decrease				
05	desert				
06	diameter				
07	exist				
08	forever				
09	fur				
10	hour				
11	locate				
12	melt				
13	plant				
14	thick				
15	wasteland				

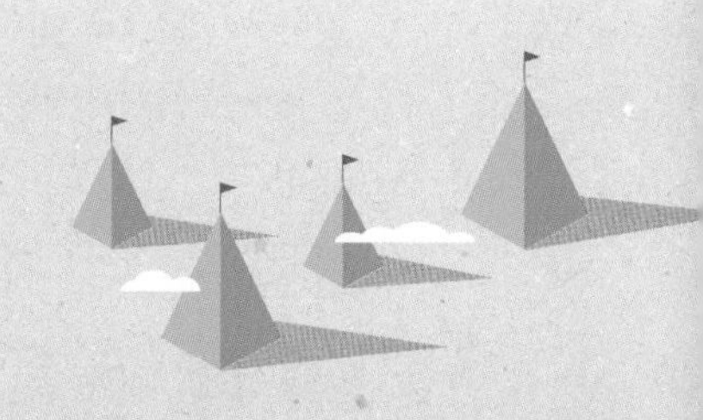

Chapter 4

Historical Figures

UNIT 1 Barack Obama

TR 6-10

Let me tell you about Barack Obama.

Barack Obama was born in Hawaii in 1961 and he spent most of his childhood there.

He has a wife and two daughters.

He is a big sports fan, and he especially likes to play basketball.

He graduated from Harvard Law School and became an attorney.

In 2008, he ran for president and won the election.

He served as the 44th president of the United States.

He was the first African American president of the United States.

He was the president for 8 years from 2009 to 2017.

In 2009, Barack Obama won the Nobel Peace Prize.

Since leaving the White House, Barack Obama and his family are living in Washington D.C.

READING CHECK

1

다음 중 이 글에서 Barack Obama에 대해 언급하지 않은 것을 고르세요.

① 출생지　② 좋아하는 운동
③ 졸업한 학교　④ 대통령을 한 기간
⑤ 노벨상을 받은 장소

2

다음 중 이 글의 내용과 같으면 T에 동그라미를, 다르면 F에 동그라미 하세요.

(1) Barack Obama especially likes to play baseball. T F

(2) Barack Obama was the 44th president of the U.S.A. T F

(3) There was no African American president before Obama in U.S.A. T F

3

다음 중 이 글의 밑줄 친 attorney 대신 사용할 수 있는 말을 고르세요.

① doctor　② lawyer　③ accountant
④ professor　⑤ politician

4

다음 대화의 빈칸에 알맞은 말을 쓰세요.

A How many years did Obama serve as president?
B He served as president ______________________.

WORDS

□ **spend** (시간을) 보내다　□ **childhood** 어린 시절　□ **daughter** 딸　□ **especially** 특히
□ **graduate** 졸업하다　□ **attorney** 변호사　□ **serve** 근무하다, 일하다　□ **president** 대통령
□ **election** 선거　□ **prize** 상　□ **since** ~ 이후　□ **leave** 떠나다

WORD CHECK

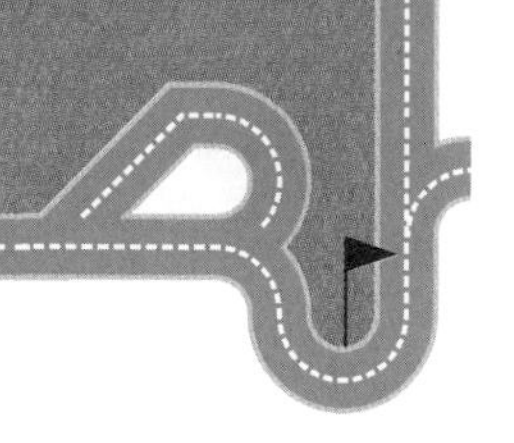

1 다음 중 빈칸에 공통으로 들어갈 말을 고르세요.

- He likes to __________ soccer.
- She can't __________ the piano.

① play ② give ③ take
④ spend ⑤ get

2 다음 보기에서 빈칸에 알맞은 말을 골라 쓰세요.

graduate	became	family

(1) My __________ lives in Korea.

(2) What are you going to do after you __________?

(3) She __________ a famous writer.

3 다음 중 win과 의미가 반대인 것을 고르세요.

① live ② lose ③ get
④ serve ⑤ graduate

4 다음 중 보기의 설명에 해당하는 단어를 고르세요.

the period of your life when you are a child

① family ② president ③ daughter
④ childhood ⑤ wife

GRAMMAR TIME

during과 for의 의미와 쓰임

1 during과 for는 모두 '~ 동안'이란 시간적 기간을 나타낼 때 사용합니다.

2 전치사 for 뒤에는 숫자를 동반한 구체적인 시간이 오며, during 다음에는 숫자보다는 특정 기간이 나옵니다.

I studied **for** 5 hours yesterday. 나는 어제 5시간 동안 공부했다.
Please don't talk **during** class. 수업 중에 떠들지 마세요.
We lived in Korea **for** 3 years. 우리는 3년 동안 한국에 살았다.
I visited my uncle **during** the summer vacation. 나는 여름 방학 기간 중에 삼촌을 방문했다.

3 How long ~?에 대한 대답에는 for가 사용됩니다.

A **How long** did you sleep for? 너는 얼마 동안 잤니?
B I slept **for** 6 hours. 난 6시간 동안 잤어.

1

다음 빈칸에 during이나 for를 쓰세요.

(1) I had a lot of fun ______________ my vacation.

(2) He called on me ______________ my stay at the hotel.

(3) I stayed at the hotel ______________ a week.

(4) It rained ______________ 3 days.

(5) It snows a lot in New York ______________ winter.

(6) He waited for his mom ______________ 2 hours at the station.

UNIT 2 First Man on the Moon

TR 6-11

Have you heard about Apollo 11?

Apollo 11 was the name of an American spacecraft.

It was the first spacecraft to land on the moon.

It landed on the moon in 1969.

Its mission was to send people to the moon.

It carried 3 astronauts to the moon.

The names of the 3 astronauts were Buzz Aldrin, Neil Armstrong, and Michael Collins.

On July 20, 1969, Armstrong and Aldrin became the first humans to land on the moon.

Millions of people around the world watched TV to see them land on the moon.

They came back to the Earth on July 24, 1969.

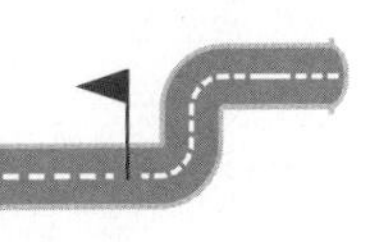

1 다음 중 이 글에서 언급하지 않은 것을 고르세요.

① the name of the spacecraft
② the number of astronauts
③ the mission of the spacecraft
④ the names of astronauts
⑤ the size of the spacecraft

2 다음 중 빈칸에 들어갈 알맞은 말을 고르세요.

The mission of Apollo 11 was to send ________ to the moon.

① the spacecrafts
② the astronauts
③ the animals
④ the letters
⑤ the food

3 다음 중 이 글의 밑줄 친 It이 의미하는 것을 고르세요.

① the moon
② Apollo 11
③ mission
④ an astronaut
⑤ landing on the moon

4 다음 중 이 글의 내용과 같으면 T에 동그라미를, 다르면 F에 동그라미 하세요.

(1) Apollo 11 landed on the moon about 30 years ago. T F

(2) Neil Armstrong was the first human to land on the moon. T F

(3) People watched the astronauts landing on the moon on TV. T F

WORDS

□ **spacecraft** 우주선 □ **land** 착륙하다 □ **moon** 달 □ **mission** 임무 □ **send** 보내다
□ **carry** 운반하다 □ **astronaut** 우주비행사 □ **human** 인간

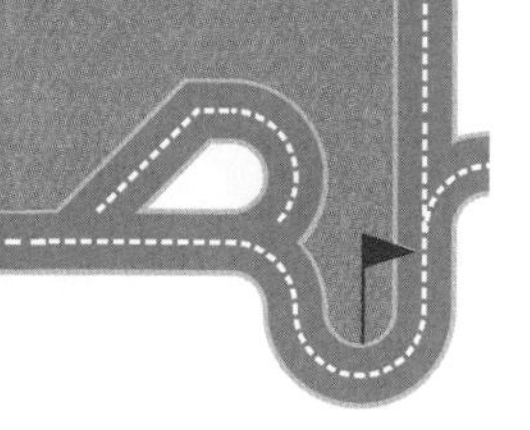

WORD CHECK

1

다음 중 빈칸에 공통으로 들어갈 말을 고르세요.

- Look at the ____________ in the night sky.
- The ____________ is bright tonight.

① lamp ② moon ③ name
④ sun ⑤ sea

2

다음 보기에서 빈칸에 알맞은 말을 골라 쓰세요.

back **first** **watch**

(1) My son won ____________________ prize in a science contest.

(2) I will come ____________________ next Friday.

(3) Do you like to ____________________ baseball games?

3

다음 중 그림을 보고 빈칸에 들어갈 알맞은 말을 고르세요.

The airplane is ____________ at the airport.

① spending ② landing ③ getting
④ serving ⑤ living

4

다음 중 mission과 의미가 비슷한 것을 고르세요.

① name ② human ③ astronaut
④ job ⑤ space

GRAMMAR TIME

million의 의미와 쓰임

1 million은 '백만'이라는 의미이며, half a million은 '오십만'이란 의미입니다.

2 a, one, two, several 등과 함께 million을 쓸 때에는 million 끝에 s를 붙이지 않습니다.
three million (o) 삼백만　　　three millions (x)

3 million은 '백만' 이외에 '수많은', '무수한'이란 의미로 사용할 수 있으며, 이때에는 million에 s를 붙여 [millions of+복수명사]로 표현합니다.
millions of ants 수많은 개미들
millions of stars 수많은 별들

1 다음 괄호 안에서 알맞은 것을 고르세요.

(1) About half (a million / millions) students will take the exam.

(2) (Million / Millions) of people watched the movie.

(3) Millions of (foreigner / foreigners) visit Korea every year.

(4) I have two (million / millions) won in the bank.

2 다음 영어를 우리말로 쓰세요.

(1) Millions of people watched this movie.

____

(2) About six million people live here.

____

UNIT 3 Alfred Nobel

TR 6-12

Alfred Nobel was born on October 21, 1833, in Stockholm, Sweden.

He studied chemistry in France and in the United States.

He was an intelligent man and could speak 6 languages.

He invented dynamite and patented it in 1867.

This invention made him very rich.

Alfred Nobel made weapons, but he wanted peace.

Alfred Nobel founded the Nobel Prizes before he died.

The prizes in Chemistry, Literature, Peace, Physics*, and Physiology** or Medicine were first awarded in 1901.

His money was used to establish the Nobel Prizes.

The Nobel Prizes are awarded on December 10, the anniversary of Alfred Nobel's death.

The Nobel Prize has an incredible reputation and is now part of our global heritage.

* Physics 물리학
* Physiology 생리학

READING CHECK

1 다음 중 이 글에서 언급하지 않은 것을 고르세요.

① Alfred Nobel이 태어난 곳
② Alfred Nobel이 부자가 된 이유
③ Alfred Nobel이 죽은 장소
④ Alfred Nobel이 사망한 날짜
⑤ 노벨상 시상이 처음 열린 연도

2 다음 중 빈칸에 들어갈 알맞은 말을 고르세요.

Alfred Nobel invented dynamite, and he became ____________.

① rich
② smart
③ popular
④ sick
⑤ healthy

3 다음 중 이 글의 내용과 같으면 T에 동그라미를, 다르면 F에 동그라미 하세요.

(1) Alfred Nobel died on December 10. T F

(2) Alfred Nobel was the inventor of dynamite. T F

(3) Alfred Nobel won the Nobel Prize in 1901. T F

4 다음 대화의 빈칸에 들어갈 알맞은 말을 쓰세요.

A What did Alfred Nobel study in France?
B He ________________________________.

WORDS

□ **chemistry** 화학 □ **intelligent** 지적인 □ **invent** 발명하다 □ **patent** 특허 받다, 특허
□ **invention** 발명 □ **weapon** 무기 □ **found** 설립하다 □ **literature** 문학 □ **medicine** 의학
□ **establish** 설립하다 □ **award** 수여하다 □ **incredible** 엄청난 □ **reputation** 명성 □ **heritage** 유산

WORD CHECK

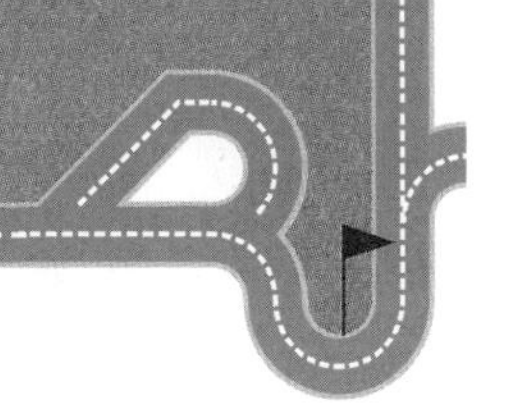

1

다음 중 빈칸에 들어갈 알맞은 말을 고르세요.

A What ________ can you speak?
B I can speak Korean, English, and Chinese.

① countries ② cities ③ languages
④ people ⑤ subjects

2

다음 보기에서 빈칸에 알맞은 말을 골라 쓰세요.

study founded money

(1) Some students ________ English.

(2) How much ________ do you have?

(3) We ________ the company last year.

3

다음 중 보기의 설명에 해당하는 단어를 고르세요.

the 10th month of the year

① November ② September ③ August
④ October ⑤ December

4

다음 중 peace와 의미가 반대인 것을 고르세요.

① prize ② weapon ③ war
④ job ⑤ invention

GRAMMAR TIME

일반동사의 과거형 - 불규칙

1 일반동사의 과거형은 주어의 과거 동작이나 상태를 나타낼 때 쓰는 동사의 형태로,
규칙 변화 과거형과 불규칙 변화 과거형이 있습니다.

2 규칙 변화 과거형은 대부분의 동사원형의 끝에 -ed 또는 -d를 붙입니다.
work → work**ed** call → call**ed** live → live**d**

3 불규칙 변화 과거형은 규칙 변화 과거형과 다르게 일정한 규칙이 없어 반드시 외워야 합니다.

동사원형	과거형	동사원형	과거형	동사원형	과거형
begin 시작하다	began	get 얻다	got	send 보내다	sent
become ~이 되다	became	have 가지고 있다	had	sleep 자다	slept
build 짓다, 만들다	built	speak 말하다	spoke	come 오다	came
buy 사다	bought	hear 듣다	heard	do 하다	did
eat 먹다	ate	make 만들다	made	drink 마시다	drank
meet 만나다	met	know 알다	knew	spend (돈, 시간을) 쓰다	spent

1

다음 빈칸에 주어진 동사의 과거형을 써서 문장을 완성하세요.

(1) She ____________________ her boyfriend yesterday. (meet)

(2) I ____________________ a paper doll. (make)

(3) The girl ____________________ to the music. (dance)

(4) They ____________________ dinner at 8 o'clock. (eat)

(5) Mary ____________________ a notebook. (buy)

Answers p.13

01 다음 중 빈칸에 들어갈 알맞은 말을 고르세요.

She lived in Korea ____________ 5 years.

① during ② for ③ to
④ until ⑤ in

02 다음 중 빈칸에 알맞지 않은 말을 고르세요.

We ____________ pizza 2 hours ago.

① made ② eat ③ bought
④ had ⑤ ordered

03 다음 중 과거형이 연결이 잘못된 것을 고르세요.

① begin – began ② have – has ③ build – built
④ get – got ⑤ work – worked

04 다음 중 문장이 어색한 것을 고르세요.

① She meet her boyfriend yesterday.
② I made some cookies.
③ Millions of foreigners visit Korea every year.
④ We bought some vegetables.
⑤ It snows a lot in New York during winter.

[05-07] 다음을 읽고 질문에 답하세요.

Apollo 11 was the name of an American spacecraft.
It was the first spacecraft to land on the moon.
It landed on the moon in 1969.
Its mission was to send people to the moon.
It carried 3 astronauts to the moon.
The ____________ of the 3 astronauts were Buzz Aldrin, Neil Armstrong, and Michael Collins.
On July 20, 1969, Armstrong and Aldrin became the first humans to land on the moon.
Millions of people around the world watched TV to see them land on the moon.

05 다음 중 이 글에서 알 수 없는 질문을 고르세요.

① What is Apollo 11?
② When did Apollo 11 land on the moon?
③ How big is Apollo 11?
④ How many astronauts were there on Apollo 11?
⑤ What was Apollo 11's mission?

06 다음 중 밑줄 친 them이 의미하는 것을 쓰세요.

____

07 다음 중 이 글의 빈칸에 들어갈 알맞은 말을 고르세요.

① names ② humans ③ people
④ nations ⑤ spacecrafts

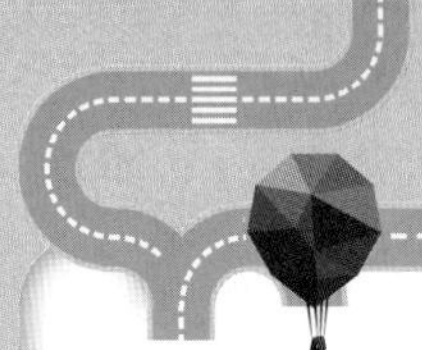

08 다음 중 보기의 설명에 해당하는 단어를 고르세요.

having a great deal of money

① coin ② language ③ house
④ peace ⑤ rich

09 다음 중 그림을 보고 빈칸에 들어갈 알맞은 말을 고르세요.

No ________ allowed inside this building.

① cameras ② weapons ③ pets
④ parking ⑤ cell phones

[10-11] 다음 중 빈칸에 공통으로 들어갈 말을 고르세요.

10

- His family is living ________ Washington D.C.
- Barack Obama was born in Hawaii ________ 1961.

① for ② during ③ in
④ to ⑤ at

11

- Alfred Nobel made weapons, ________ he wanted peace.
- Amy was very sick, ________ she went to school.

① when ② so ③ because
④ and ⑤ but

12 다음 중 우리말을 영어로 바르게 쓴 것을 고르세요.

수많은 사람들이 그 책을 샀다.

① A Millions of people bought the book.
② Millions of people will buy the book.
③ Million of people bought thc book.
④ Millions of people bought the book.
⑤ Million of people buy the book.

13 다음 보기에서 빈칸에 알맞은 말을 골라 쓰세요.

anniversary July invented

(1) Today is our wedding ________________.
(2) Edison ________________ the light bulb.
(3) ________________ is my favorite month.

14 다음 주어진 단어를 이용하여 빈칸에 알맞은 말을 쓰세요.

She ___________ me red roses last week. (send)

____

15 다음 영어를 우리말로 쓰세요.

He spent most of his childhood in Hawaii.

____

WORD MASTER

Chapter 4

TR 6-12-W

다음 단어의 뜻을 쓰고, 단어를 세 번씩 더 써보세요.

01 award	수여하다	award	award	award
02 carry				
03 chemistry				
04 establish				
05 serve				
06 heritage				
07 incredible				
08 intelligent				
09 invent				
10 literature				
11 medicine				
12 mission				
13 patent				
14 reputation				
15 weapon				

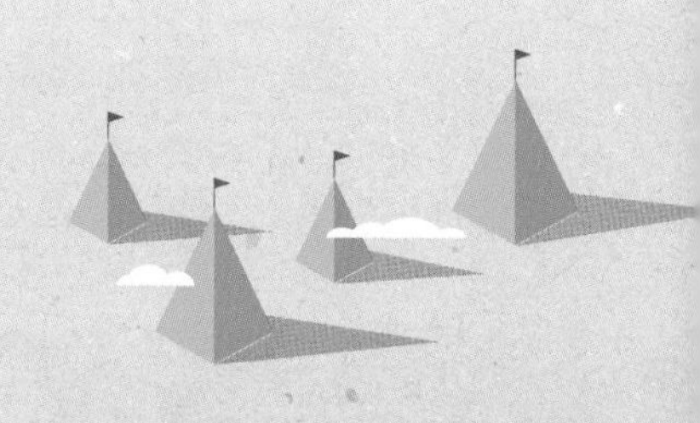

Chapter 5

Earth

UNIT 1 Asia

UNIT 2 The Earth

UNIT 3 Save the Earth

UNIT 1 Asia

TR 6-13

Asia is the largest continent in the world.

There are 48 countries in Asia.

The world's two most populated countries, China and India, are in Asia.

Each country in Asia has its own culture and its own government.

Some countries like Indonesia and the Philippines are made up of islands.

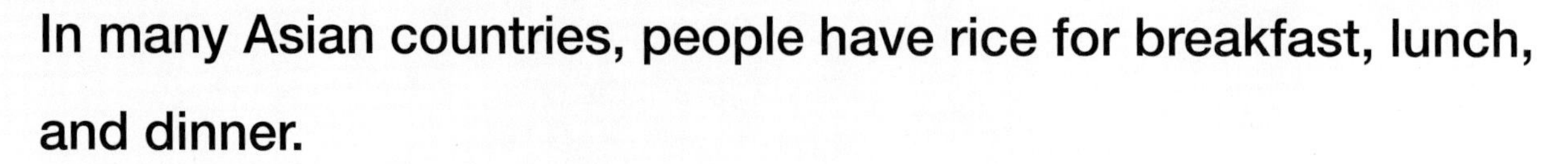

In many Asian countries, people have rice for breakfast, lunch, and dinner.

In Asia, we can see a lot of wild animals including elephants, tigers, leopards, orangutans, snakes, etc.

The highest mountain in the world is Mount Everest.

It is located in an Asian country named Nepal.

Asia is filled with breathtaking views, ancient temples, and beautiful cities.

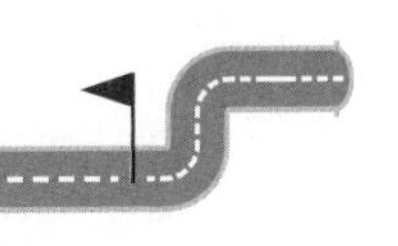

1

다음 중 이 글의 제목으로 알맞은 것을 고르세요.

① The Most Populated Countries ② Facts About Asia
③ Cities in Asia ④ Wild Animals in Asia
⑤ People in Asia

2

다음 중 이 글에서 언급한 내용과 <u>다른</u> 것을 고르세요.

① 아시아는 지구에서 가장 큰 대륙이다. ② 중국이 가장 큰 국가이다.
③ 많은 야생동물이 아시아에 산다. ④ 가장 높은 산이 아시아에 있다.
⑤ 아시아 사람들의 주식은 쌀이다.

3

다음 중 밑줄 친 breathtaking을 대신할 수 있는 단어를 고르세요.

① careful ② dangerous ③ large
④ amazing ⑤ powerful

4

다음 중 이 글에서 알 수 <u>없는</u> 질문을 고르세요.

① How many countries are there in Asia?
② Which countries are made up of islands?
③ Which animals can you see in Asia?
④ Which city is the biggest in Asia?
⑤ What is the tallest mountain in the world?

WORDS

□ **continent** 대륙 □ **country** 나라 □ **populate** 살다, 인구 □ **culture** 문화
□ **government** 정부 □ **including** ~을 포함하여 □ **leopard** 표범 □ **breathtaking** 숨 막히는
□ **view** 경치 □ **ancient** 고대의 □ **temple** 절

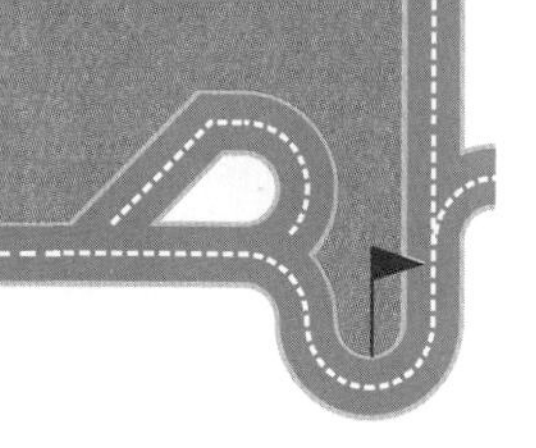

WORD CHECK

1

다음 중 빈칸에 공통으로 들어갈 알맞은 말을 고르세요.

Korea is a country located in ______________.

① North America ② Europe ③ South America
④ Oceania ⑤ Asia

2

다음 보기에서 빈칸에 알맞은 말을 골라 쓰세요.

rice **view** **mountain**

(1) Would you prefer ______________ or noodles?

(2) The air is so fresh at the top of the ______________.

(3) Please give me a room with a nice ______________.

3

다음 중 보기의 설명에 해당하는 단어를 고르세요.

a very large animal with a long, flexible nose

① snake ② tiger ③ elephant
④ zebra ⑤ dog

4

다음 중 그림을 보고 빈칸에 들어갈 알맞은 단어를 고르세요.

The bookshelf is ______________ with books.

① made ② filled ③ cooked
④ covered ⑤ painted

GRAMMAR TIME

명사를 뒤에서 수식하는 경우

1 보통 [형용사+명사]의 어순에서는 형용사가 뒤에 나오는 명사를 수식합니다.

a fast car 빠른 자동차 a tall boy 키가 큰 소년

2 형용사구는 명사 뒤에서 명사를 수식할 수 있습니다. 형용사구란 2개 이상의 단어가 모인 것으로 명사 뒤에서 명사를 수식하는 역할을 합니다. ※ 구 – 2개 이상의 단어가 모인 것

a boy called Momo 모모라 불리는 소년
명사 형용사구

the girl at the party 파티에 있는 소녀
명사 형용사구

the man sitting on the bench 벤치에 앉아 있는 남자
명사 형용사구

ways to make money 돈을 버는 방법들
명사 형용사구

1

다음 영어를 우리말로 쓰세요.

(1) the students in the classroom

____

(2) the girl playing the piano

____

(3) the man sitting on the sofa

____

(4) the boy waiting for a bus

____

(5) the man at the bank

____

(6) the children eating pizza

____

UNIT 2 The Earth

The Earth is the third planet from the sun in our solar system.

How old is the Earth?

Scientists say that the Earth is around 4.5 billion years old!

The Earth travels around the sun.

How long does the Earth take to travel around the sun?

The Earth takes 365 days to orbit the sun completely.

The Earth's surface is covered with water.

How much is the Earth's surface covered with water?

About 70% of the Earth's surface is water.

Is the Earth round?

Yes, the Earth is round, ________ it isn't perfectly round.

It is slightly flattened at the North and South Poles.

READING CHECK

1 다음 중 이 글에서 언급하지 않은 것을 고르세요.

① 지구의 나이　② 지구의 모양　③ 지구의 공전
④ 지구의 표면　⑤ 지구의 크기

2 다음 중 이 글에서 언급한 내용과 다른 것을 고르세요.

① 지구는 태양에서 세 번째 위치해 있다.
② 지구가 태양을 도는 데 1년이 걸린다.
③ 지구 표면의 약 70%는 물로 덮여 있다.
④ 지구는 태양 주의를 돈다.
⑤ 지구는 완전히 둥근 모양이다.

3 다음 중 밑줄 친 travel around를 대신할 수 있는 단어를 고르세요.

① visit　② orbit　③ take
④ sleep　⑤ complete

4 다음 중 이 글의 빈칸에 들어갈 알맞은 말을 고르세요.

① but　② and　③ so
④ because　⑤ due to

WORDS

□ **planet** 행성　□ **solar system** 태양계　□ **billion** 10억　□ **travel** 운행하다　□ **orbit** 궤도를 돌다
□ **completely** 완전히　□ **surface** 표면　□ **cover** 덮다　□ **round** 둥근　□ **perfectly** 완벽하게
□ **slightly** 살짝　□ **flatten** 평평한

WORD CHECK

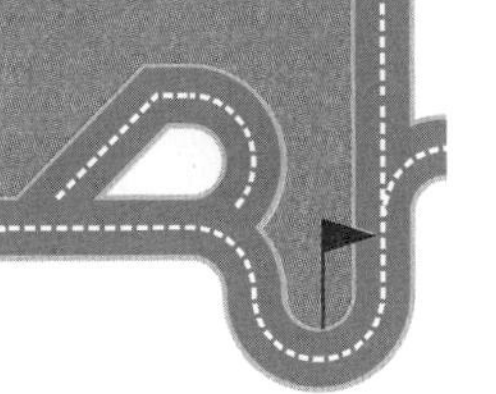

1 다음 중 우리말과 같도록 빈칸에 들어갈 알맞은 말을 고르세요.

He arrived ____________ 4 o'clock.
그는 4시쯤 도착했다.

① at ② around ③ into
④ in ⑤ on

2 다음 보기에서 빈칸에 알맞은 말을 골라 쓰세요.

round **Earth** **covered**

(1) Most watermelons are ____________________ and big.

(2) The desk is ____________________ with dust.

(3) We need to take care of all living things on the ____________________.

3 다음 중 보기의 설명에 해당하는 단어를 고르세요.

to go from one place to another

① study ② sing ③ shine
④ travel ⑤ have

4 다음 대화의 빈칸에 알맞은 말을 쓰세요.

A How ____________ is the chair?
B It's 70 dollars.

____

GRAMMAR TIME

take의 여러 가지 의미

1 동사 take는 다양한 의미가 있으므로 반드시 그 의미를 외워야 합니다.

2 take의 여러 가지 의미

가지고 가다, 데리고 가다	My parents came and **took** me to a nearby hospital. 나의 부모님이 오셔서 나를 가까운 병원에 데리고 가셨다.
(탈것을) 이용하다	I **take** the public bus to school. 나는 시내 버스를 타고 학교에 간다.
시간이 걸리다	How long does it **take** to get to the market? 시장까지 가는 데 얼마나 걸리니?
먹다; 마시다; (약을) 먹다[복용하다]	**Take** the medicine three times a day. 그 약을 하루에 세 번 복용해라.
(행동을) 취하다, 실행하다; (휴식 · 수면 등을) 취하다	I usually **take** a bath before going to sleep. 나는 보통 자기 전에 목욕을 한다.

1 다음 영어를 우리말로 쓰세요.

(1) She took me to a nice restaurant yesterday.

____

(2) A lot of people take the subway to work every day. *work 직장

____

(3) I take a shower in the morning.

____

(4) It took 3 years to build this building.

____

UNIT 3 Save the Earth

TR 6-15

We should save the Earth so that our future generations can live in a safe environment.

Here are 10 ways to save the Earth.

01 Plant trees.

02 Turn off the water while you're brushing your teeth.

03 Recycle plastic and paper.

04 Turn off the lights when you're not in the room.

05 Walk or ride your bike to school.

06 Use both sides of the paper.

07 Don't waste napkins.

08 Stop using plastic bags when you buy groceries.

09 Take a reusable shopping bag when you go to the ________.

10 Take your own cup to school or a cafe.

READING CHECK

1 다음 중 이 글의 제목으로 알맞은 것을 고르세요.

① Our Future Generations ② A Safe Environment
③ Ways to Save Money ④ Ways to Save Water
⑤ Ways to Save Our Planet

2 다음 중 이 글에서 언급한 내용이 아닌 것을 고르세요.

① 나무를 심자. ② 물을 아끼자.
③ 이면지를 이용하자. ④ 대중교통을 이용하자.
⑤ 장바구니를 이용하자.

3 다음 중 그림을 보고 관계 있는 말을 고르세요.

① Plant trees.
② Don't waste napkins.
③ Recycle plastic and paper.
④ Turn off the water while you're brushing your teeth.
⑤ Stop using plastic bags when you buy groceries.

4 다음 중 이 글의 빈칸에 들어갈 알맞은 말을 고르세요.

① mountain ② market ③ camp
④ playground ⑤ theme park

WORDS

□ **future** 미래 □ **generation** 세대 □ **environment** 환경 □ **plant** 심다 □ **while** ~하는 동안
□ **recycle** 재활용하다 □ **waste** 낭비하다 □ **plastic bag** 비닐봉지 □ **grocery** 식료품
□ **reusable** 재사용 가능한 □ **market** 시장 □ **own** 자신의

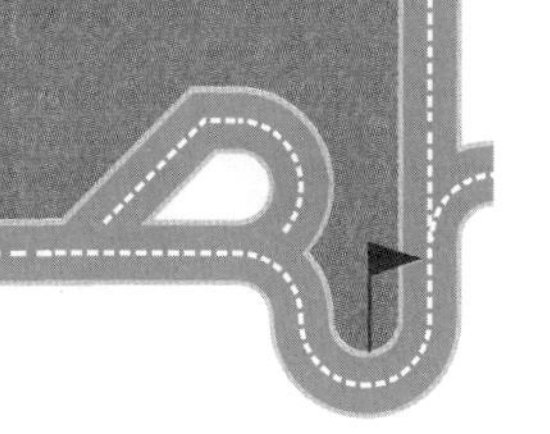

WORD CHECK

1

다음 중 우리말과 같도록 빈칸에 들어갈 말을 고르세요.

He ____________ the lives of thousands of people.
그는 수천 명의 목숨을 구했다.

① lived ② saved ③ worked
④ put ⑤ took

2

다음 보기에서 빈칸에 알맞은 말을 골라 쓰세요. (필요하면 대문자로 쓰세요.)

waste **plastic** **both**

(1) Do you need a ____________________ bag?

(2) I have two sisters. ____________________ of them live in Canada.

(3) Please don't ____________________ water.

3

다음 중 그림을 보고 빈칸에 들어갈 알맞은 말을 쓰세요.

He's ____________ a bicycle now.

____

4

다음 중 보기의 설명에 해당하는 단어를 고르세요.

a square of cloth or paper used at a table

① fork ② computer ③ napkin
④ tooth ⑤ bicycle

GRAMMAR TIME

[so that 주어+can ~]의 의미

1 [so that 주어+can ~]은 '~하기 위해서', '~하도록'이란 의미를 가지고 있습니다.
He goes jogging every day **so that** he **can** stay healthy.
그는 건강을 유지하기 위해 매일 조깅을 한다.

2 이때 문장에 따라 so that을 [to+동사원형] 또는 [in order to+동사원형]으로 바꿔 쓸 수 있습니다.
He goes jogging every day **so that** he **can** stay healthy.
→ He goes jogging every day **to stay** healthy.
→ He goes jogging every day **in order to** stay healthy. *in order to ~하기 위해서

1

다음 영어를 우리말로 쓰세요.

(1) He is studying hard so that he can pass the exam.

____

(2) Bill saves money so that he can buy a new computer. *save 저축하다

____

(3) She studied hard in order to be a doctor.

____

2

다음 보기와 같은 의미가 되도록 빈칸에 알맞은 말을 쓰세요.

Michelle swims every day to stay healthy.

(1) Michelle swims every day __________ __________
she __________ stay healthy.

(2) Michelle swims every day __________ __________
__________ stay healthy.

Answers p.16

[01-03] 다음 중 빈칸에 들어갈 알맞은 말을 고르세요.

01

_______ the medicine three times a day.

① Go ② Get ③ Take
④ Do ⑤ Save

02

She runs every day so that she _______ stay healthy.

① be ② could ③ will
④ have to ⑤ can

03

She studied hard _______ pass the exam.

① in order to ② in order for ③ order to
④ so that ⑤ so

04 다음 중 보기의 take와 의미가 같은 것을 고르세요.

How long does it take to get to the market?

① Amy took me to the zoo.
② It will take 20 minutes to get there.
③ Do you take sugar in your coffee?
④ She took pictures at the park.
⑤ I take a shower in the morning.

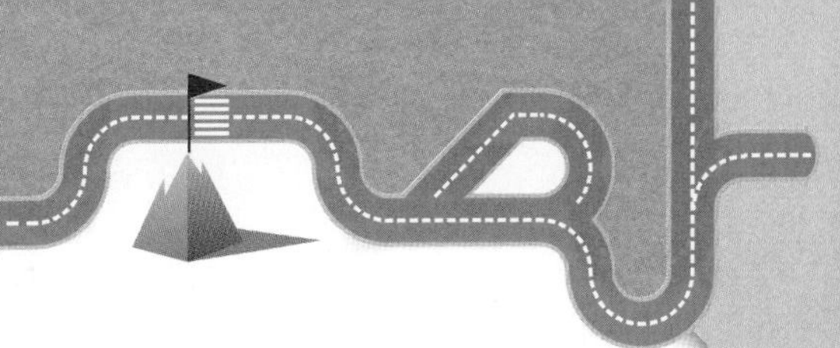

[05-07] 다음을 읽고 질문에 답하세요.

Asia is the largest continent in the world.
There are 48 countries in Asia.
The world's two most populated countries, China and India, are in Asia.
Some countries like Indonesia and the Philippines are made up of islands.
In many Asian countries, people have rice for breakfast, lunch, and dinner.
In Asia, we can see a lot of wild animals including elephants, tigers, leopards, orangutans, snakes, etc.
The highest ____________ in the world is Mount Everest, and it is located in an Asian country named Nepal.

05 다음 중 이 글에서 언급하지 않은 것을 고르세요.

① 아시아의 국가 수
② 섬으로 이루어진 국가
③ 아시아 사람들의 주식
④ 아시아에만 있는 독특한 문화
⑤ 아시아에서 볼 수 있는 동물

06 다음 중 이 글의 빈칸에 들어갈 알맞은 말을 고르세요.

① Asia
② country
③ island
④ tree
⑤ mountain

07 다음 대화의 빈칸에 알맞은 말을 쓰세요.

A What do Asian people usually eat for dinner?
B They usually ________________________.

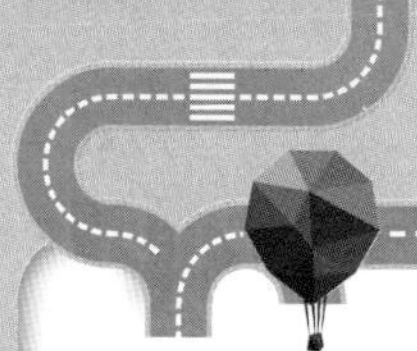

08 다음 중 보기의 설명에 해당하는 단어를 고르세요.

a small container used for drinking

① coin ② fork ③ table
④ coffee ⑤ cup

09 다음 중 그림을 보고 빈칸에 들어갈 알맞은 말을 고르세요.

He is __________ the tree now.

① watering ② planting ③ cutting
④ climbing ⑤ moving

[10-11] 다음 중 빈칸에 공통으로 들어갈 말을 고르세요.

10

- Walk __________ ride your bike to school.
- Would you like some dessert __________ coffee?

① and ② or ③ to
④ on ⑤ but

11

- The Earth travels __________ the sun.
- The Earth is __________ 4.5 billion years old.

① from ② about ③ round
④ some ⑤ around

12 다음 중 우리말을 영어로 바르게 표현한 것을 고르세요.

너는 벤치에 앉아 있는 남자를 아니?

① Do you know sitting the man on the bench?
② Do you know sitting the man on the bench?
③ Do you know the man sitting on the bench?
④ Do you know the man on the bench sitting?
⑤ Do you know on the bench the man sitting?

13 다음 보기에서 빈칸에 알맞은 말을 골라 쓰세요.

Pole	temple	Snakes

(1) The South ________________ is covered with ice.

(2) ________________ have long tongues and sharp teeth.

(3) Did you visit the ________________ yesterday?

14 다음 두 문장이 의미가 같도록 빈칸에 알맞은 말을 쓰세요.

Bill saves money so that he can buy a new computer.
= Bill saves money ______ ______ ______ buy a new computer.

____

15 다음 영어를 우리말로 쓰세요.

The woman playing the piano is my mom.

____

Chapter 5

WORD MASTER

다음 단어의 뜻을 쓰고, 단어를 세 번씩 더 써보세요.

01	continent	대륙	continent	continent	continent
02	country				
03	culture				
04	environment				
05	generation				
06	government				
07	grocery				
08	include				
09	orbit				
10	perfectly				
11	recycle				
12	surface				
13	temple				
14	view				
15	waste				

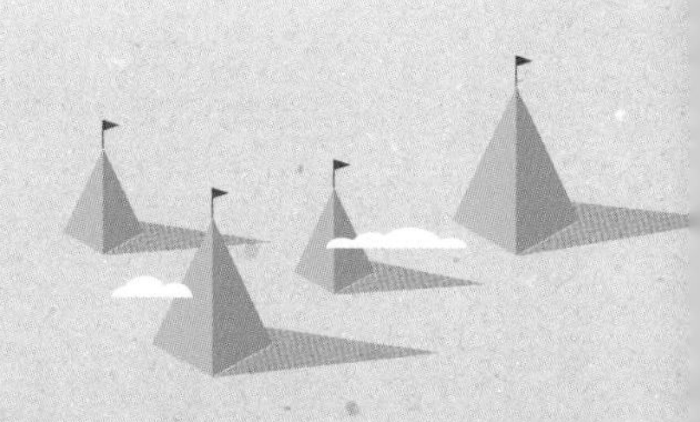

Chapter 6

Stories

UNIT 1 The Greedy Dog

UNIT 2 The Rabbit and the Turtle

UNIT 3 A Fable

UNIT 1 The Greedy Dog

TR 6-16

A dog had a piece of meat in his mouth. (a)

The dog was walking across a wooden bridge over a stream. (b)

The dog was surprised as he saw his reflection in the stream.

The dog thought there was a dog with a piece of meat in the stream. (c)

He was not aware that it was his own reflection.

He thought it was another dog. (d)

He wanted to get the dog's meat.

He opened his mouth to bark at his own reflection. (e)

As he opened his mouth, the meat __________ into the water.

The greedy dog lost his meat.

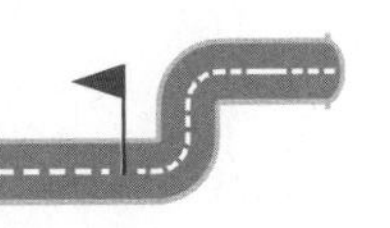

1

다음 중 이 글의 교훈으로 알맞은 것을 고르세요.

① Learn from your past mistakes.

② Say "thank you" a lot.

③ Plant flowers every spring.

④ Keep secrets.

⑤ It is very foolish to be greedy.

2

다음 중 이 글의 빈칸에 들어갈 말을 고르세요.

① opened ② crossed ③ fell

④ flied ⑤ set

3

다음 중 보기의 말이 들어갈 위치를 이 글에서 고르세요.

He looked down into the stream.

① (a) ② (b) ③ (c)

④ (d) ⑤ (e)

4

다음 질문에 답하세요.

What happened when the dog barked at the dog in the stram?

WORDS

□ **piece** 조각 □ **meat** 고기 □ **across** ~을 가로질러 □ **bridge** 다리 □ **stream** 개울, 시내
□ **reflection** 그림자 □ **aware** 알고 있는 □ **another** 또 다른 □ **bark** 짖다 □ **greedy** 욕심 많은

WORD CHECK

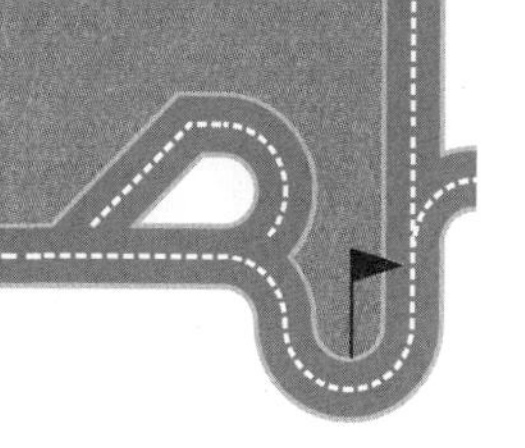

1

다음 중 빈칸에 들어갈 알맞은 말을 고르세요.

> This shirt is too small for me.
> Can you show me ________ shirt?

① cheap ② as ③ expensive
④ small ⑤ another

2

다음 보기에서 빈칸에 알맞은 말을 골라 쓰세요.

> **barks** **meat** **bridge**

(1) I don't eat ________. I'm a vegetarian.

(2) Do you know how long this ________ is?

(3) That dog always ________ at me.

3

다음 중 그림을 보고 빈칸에 들어갈 알맞은 말을 고르세요.

> An apple is ________ from the tree.

① sending ② barking ③ taking
④ living ⑤ falling

4

다음 중 보기의 설명에 해당하는 단어를 고르세요.

> a small narrow river

① stream ② hands ③ mouth
④ tongue ⑤ head

GRAMMAR TIME

셀 수 없는 명사 수 나타내기

1 셀 수 없는 명사는 a(n)나 숫자를 붙여 개수를 나타낼 수 없지만, 다음과 같은 표현으로 수를 나타낼 수 있습니다.

a 숫자	+	용기 · 모양 · 단위 명사 (2 이상 복수형)	+	of	+	셀 수 없는 명사 (복수형 쓸 수 없음)

조각	**piece**	a piece of 숫자 pieces of	+ cake, paper, bread, ...
차가운 음료	**glass**	a glass of 숫자 glasses of	+ milk, water, juice, ...
뜨거운 음료	**cup**	a cup of 숫자 cups of	+ coffee, tea, ...
병	**bottle**	a bottle of 숫자 bottles of	+ beer, wine, juice, ...

2 자주 사용하는 셀 수 없는 명사
water, air, snow, rain, salt, sugar, cheese, bread, money, food 등

3 셀 수 없는 명사는 앞에 a(n), 숫자 등을 쓸 수 없고, 복수형 -(e)s도 붙일 수 없습니다.
two waters (x) two glasses of water (o) three juice (x) three bottles of juice (o)

1 다음 우리말과 같도록 보기에서 빈칸에 알맞은 말을 골라 쓰세요.

bottles **glass** **piece**

(1) 나는 아침에 주스 한 잔을 마신다.

I drink a ________________ of juice in the morning.

(2) 나의 아버지는 아침 식사로 빵 한 조각을 드신다.

My father has a ________________ of bread for breakfast.

(3) 우리는 와인 3병이 필요하다.

We need three ________________ of wine.

UNIT 2 The Rabbit and the Turtle

TR 6-17

A turtle challenged a rabbit to a race.

The rabbit accepted the challenge.

The race started and the rabbit ran fast.

The turtle walked slowly.

The rabbit was far ahead of the turtle.

The rabbit got halfway point.

He could not see the turtle anywhere.

The rabbit stopped running and took a short nap.

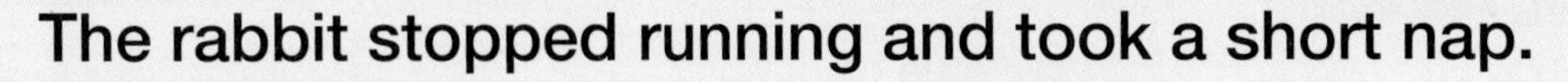

The turtle didn't __________ walking.

The turtle kept walking toward the finish line.

The turtle passed the rabbit and at last he reached the finish line.

After a while, the rabbit woke up and ran to the finish line.

The rabbit found the turtle waiting for him there.

READING CHECK

1

다음 중 이 글의 교훈으로 알맞은 것을 고르세요.

① 선생님들에게 존경을 보여라.
② 약한 상대를 과소평가하지 마라.
③ 부정행위를 하지 마라.
④ 게으름 피지 마라.
⑤ 다른 사람들의 생일을 기억해라.

2

다음 중 밑줄 친 there가 의미하는 것을 쓰세요.

① the challenge
② the race
③ the rabbit
④ the turtle
⑤ the finish line

3

다음 중 이 글의 빈칸에 들어갈 알맞은 말을 고르세요.

① take
② cry
③ run
④ jump
⑤ stop

4

다음 질문에 Yes나 No로 대답하세요.

(1) Did the rabbit win the race? Yes No

(2) Did the turtle take a break during the race? Yes No

(3) Was the turtle waiting for the rabbit at the finish line? Yes No

WORDS

□ **turtle** 거북이 □ **challenge** 도전, 도전하다 □ **accept** 받아들이다 □ **slowly** 천천히 □ **far** 훨씬
□ **ahead** 앞에 □ **halfway** 절반의 □ **anywhere** 어디에, 어디든 □ **nap** 낮잠 □ **toward** ~을 향해
□ **reach** 도착하다

WORD CHECK

1 다음 중 빈칸에 들어갈 알맞은 말을 고르세요.

Can you ________ me the salt?

① take ② pass ③ keep
④ reach ⑤ accept

2 다음 보기에서 빈칸에 알맞은 말을 골라 쓰세요.

slowly **stop** **short**

(1) Please speak more ____________.

(2) My sister has ____________ hair.

(3) Please ____________ in front of that hotel.

3 다음 중 그림을 보고 빈칸에 들어갈 알맞은 말을 고르세요.

Sam is taking a ________ now.

① bath ② nap ③ shower
④ care ⑤ walk

4 다음 중 보기의 설명에 해당하는 단어를 고르세요.

a small animal with long ears

① turtle ② zebra ③ rabbit
④ cat ⑤ dog

GRAMMAR TIME

일반동사 과거 부정문 만들기

1 과거형 일반동사가 있는 문장의 부정문을 만들 때는 did를 이용해야 합니다.

2 일반동사 과거의 부정문은 '~하지 않았다'라는 의미로 동사의 앞에 did not을 붙이고, 동사를 원형으로 바꿔 씁니다. did not은 didn't로 줄여 쓸 수 있습니다.

I **lived** in Seoul last year. 나는 지난해 서울에 살았다.

→ I **did not live** in Seoul last year. 나는 지난해 서울에 살지 않았다.

(= I **didn't live** in Seoul last year.)

※ didn't를 쓰는 경우 뒤의 동사를 반드시 동사원형으로 써야 합니다.

1

다음 문장을 부정문으로 만들 때 빈칸에 알맞은 표현을 쓰세요.

(1) I studied math last night.

→ I ____________ ____________ math last night.

(2) We played soccer yesterday.

→ We ____________ ____________ soccer yesterday.

(3) He loved Mary.

→ He ____________ ____________ Mary.

(4) She helped her friends.

→ She ____________ ____________ her friends

(5) Mike changed the plans.

→ Mike ____________ ____________ the plans.

UNIT 3 A Fable

TR 6-18

Did you ever read fables?

A fable is a short story.

Most fables teach morals to children.

Fables are also humorous and entertaining for children.

The characters of the fables are usually animals.

They act and talk just like humans.

Two or three animals appear in fables.

Fables often jump into the main event without detailed introduction of characters.

Aesop is one of the most famous authors of fables in history.

He lived about 2,500 years ago in ancient Greece.

His fables have been handed down from generation to generation.

His fables are still __________ today.

READING CHECK

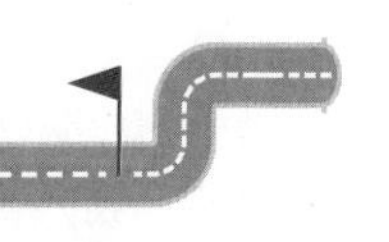

1

다음 중 이 글의 내용과 다른 것을 고르세요.

① 우화는 짧은 이야기이다.

② 우화에 등장하는 동물은 인간처럼 행동한다.

③ 대부분의 우화에는 사람이 등장한다.

④ 이솝은 가장 유명한 우화 작가 중의 한 명이다.

⑤ 이솝의 우화는 지금도 읽힌다.

2

다음 중 이 글에서 언급한 내용이 아닌 것을 고르세요.

① 우화의 등장인물 ② 우화의 내용

③ 우화의 등장인물 수 ④ 이솝의 가장 유명한 우화

⑤ 이솝이 살았던 시기

3

다음 중 이 글의 빈칸에 들어갈 알맞은 말을 고르세요.

① healthy ② popular ③ heavy

④ beautiful ⑤ young

4

다음 대화의 빈칸에 알맞은 말을 쓰세요.

A What are the main characters in fables?

B They ______________________________.

WORDS

□ **fable** 우화 □ **moral** 도덕, 교훈 □ **humorous** 유머 있는 □ **entertaining** 재미있는

□ **character** 등장인물 □ **human** 인간 □ **appear** 등장하다 □ **without** ~ 없이

□ **introduction** 소개 □ **famous** 유명한 □ **author** 작가 □ **ancient** 고대의 □ **generation** 세대

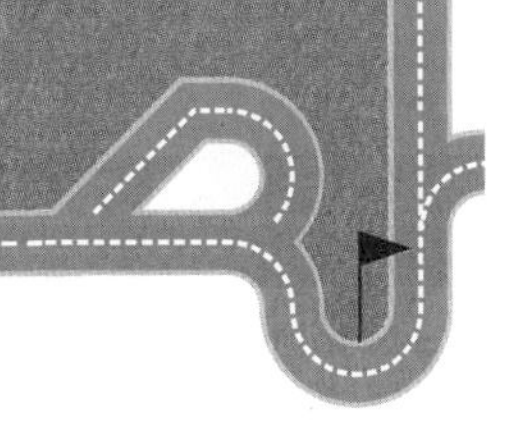

WORD CHECK

1

다음 중 빈칸에 들어갈 알맞은 말을 고르세요.

He went out about 5 minutes ________.

① after ② ago ③ while
④ past ⑤ still

2

다음 보기에서 빈칸에 알맞은 말을 골라 쓰세요.

history children usually

(1) Fast food is not good for ____________.

(2) He ____________ goes to bed at 10 o'clock.

(3) She is the greatest musician in ____________.

3

다음 중 그림을 보고 빈칸에 들어갈 알맞은 말을 쓰세요.

They are ________ on the bed.

① sleeping ② napping ③ hiking
④ jumping ⑤ walking

4

다음 중 humorous와 의미가 비슷한 것을 고르세요.

① popular ② serious ③ boring
④ sorry ⑤ funny

GRAMMAR TIME

일반동사 과거형의 의문문

1 일반동사 과거형의 의문문은 '~ 했나요?'라는 의미로 '과거 일어난 일'을 물을 때 사용합니다.

2 주어의 앞에 Did를 쓰고 동사를 원형으로 바꾼 뒤, 문장의 끝에 물음표(?)를 붙여줍니다.

You **moved** to Busan. 너는 부산으로 이사 갔다.

→ **Did** you move to Busan? 너는 부산으로 이사 갔니?

He rode a bike. 그는 자전거를 탔다.

→ **Did** he ride a bike? 그는 자전거를 탔니?

3 긍정의 대답은 [Yes, 주어+did.]로 하고, 부정의 대답은 [No, 주어+didn't.]로 합니다.

1

다음 문장을 의문문으로 만들 때 빈칸에 알맞은 표현을 쓰세요.

(1) You studied math.

→ ______________ you ______________ math?

(2) She learned Chinese.

→ ______________ she ______________ Chinese?

(3) They moved the box.

→ ______________ they ______________ the box?

(4) He played tennis.

→ ______________ he ______________ tennis?

2

다음 대화의 빈칸에 들어갈 알맞은 말을 고르세요.

A Did your sister wash the dishes?

B Yes, ______________.

① he did ② she did ③ they do

④ she does ⑤ it did

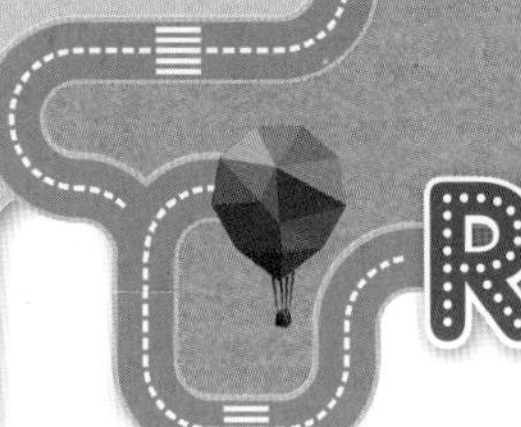

REVIEW TEST

Answers p.19

[01-03] 다음 중 빈칸에 들어갈 알맞은 말을 고르세요.

01

I need a ____________ of juice.

① pair ② glass ③ slice
④ piece ⑤ sheet

02

We ____________ play soccer yesterday.

① were ② don’t ③ didn’t
④ have to ⑤ do

03

____________ you practice the guitar last night?

① Do ② Are ③ Were
④ Did ⑤ Does

04 다음 중 빈칸에 올 수 없는 것을 고르세요.

I want a piece of ____________.

① cake ② pizza ③ meat
④ bread ⑤ milk

[05-07] 다음을 읽고 질문에 답하세요.

A dog had a piece of meat in his mouth.
The dog was walking across the wooden bridge over the stream.
The dog was surprised as he saw his reflection in a stream.
The dog thought there was a dog with a piece of meat in the stream.
He was not aware that it was his own reflection
He thought it was another dog.
He wanted to get the dog's meat.
He opened his mouth to __________ at his own reflection.
As he opened his mouth, the piece of meat fell into the water.

05 다음 중 이 글에서 알 수 없는 질문을 고르세요.

① What did the dog have in its mouth?
② When did the dog cross the bridge?
③ Was there a real dog in the stream?
④ Why did the dog lose his meat?
⑤ What did the dog see in the stream?

06 다음 중 이 글의 빈칸에 들어갈 말을 고르세요.

① bark ② jump ③ get
④ run ⑤ steal

07 다음 중 밑줄 친 get과 의미가 비슷한 것을 고르세요.

① It's getting dark.
② Where did you get that shirt?
③ I usually get to school by 7 o'clock.
④ He got in the car and drove to work.
⑤ Let's get off the bus.

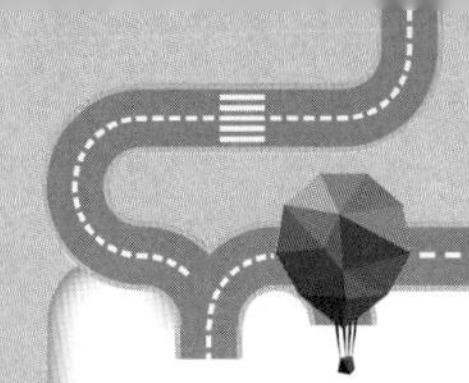

08 다음 중 보기의 설명에 해당하는 단어를 고르세요.

a slow-moving reptile with a hard shell

① frog ② whale ③ bear
④ turtle ⑤ rabbit

09 다음 중 그림을 보고 빈칸에 들어갈 알맞은 말을 고르세요.

She is crossing the ________.

① bridge ② road ③ finish line
④ river ⑤ stream

10 다음 중 빈칸에 공통으로 들어갈 말을 고르세요.

- Let's ________ a rest for 10 minutes.
- We have to ________ a taxi or a bus.

① buy ② do ③ make
④ live ⑤ take

11 다음 중 밑줄 친 단어를 대신할 수 있는 것을 고르세요.

Donovan reached the finish line.

① turned on ② got to ③ got up
④ kept on ⑤ ran toward

12 다음 중 우리말을 영어로 바르게 표현한 것을 고르세요.

우리는 지난해 서울에 살지 않았다.

① We don't live in Seoul last year.
② We did not living in Seoul last year.
③ We didn't live in Seoul last year.
④ We does not live in Seoul last year.
⑤ We did not to live in Seoul last year.

13 다음 보기에서 빈칸에 알맞은 말을 골라 쓰세요.

waiting **bottles** **accept**

(1) He is ________________ for his friend.
(2) I can't ________________ your apology.
(3) I have two ________________ of juice.

14 다음 보기의 주어진 단어를 이용하여 문장을 완성하세요.

차 한 잔 주시겠어요? (cup)
Can I have __________ __________ __________ tea?

____

15 다음 문장을 의문문으로 만들 때 빈칸에 알맞은 표현을 쓰세요.

(1) He met David yesterday.
→ ____________ he ____________ David yesterday?

(2) She learned Korean when she was young.
→ ____________ she ____________ Korean when she was young?

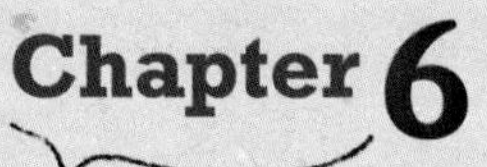

WORD MASTER

TR 6-18-W

다음 단어의 뜻을 쓰고, 단어를 세 번씩 더 써보세요.

01 accept	받아들이다	accept	accept	accept
02 ancient				
03 another				
04 appear				
05 aware				
06 character				
07 entertaining				
08 fable				
09 famous				
10 generation				
11 greedy				
12 humorous				
13 introduction				
14 moral				
15 reflection				

Memo

Memo

Longman

Reading Mentor

WORKBOOK

WORKBOOK

Healthy Teeth

1 다음 보기에서 의미와 일치하는 단어를 고르고 세 번 쓰세요.

tooth way snack regular dentist toothbrush

01 치과, 치과의사 ______ ______ ______

02 이 ______ ______ ______

03 방법 ______ ______ ______

04 규칙적인 ______ ______ ______

05 간식 ______ ______ ______

06 칫솔 ______ ______ ______

2 다음 중 우리말과 같도록 빈칸에 들어갈 알맞은 말을 고르세요.

01

Here are ways to ______ your teeth healthy.
여기 당신의 이를 건강하게 유지하는 방법들이 있다.

① go ② keep ③ wear ④ take ⑤ visit

02

Brush your teeth ______ 3 minutes.
당신의 치아를 3분 동안 닦아라.

① on ② during ③ at ④ for ⑤ to

3 다음 영어와 우리말을 연결하세요.

01 drink water instead of soda • • ⓐ 정규적인 검진

02 regular check-ups • • ⓑ 탄산음료 대신 물을 마시다

03 every 3 months • • ⓒ 3달마다

4 다음 괄호 안에서 알맞은 것을 고르세요.

01 John (and / or) Tom are going to visit you.

02 Minu or Tom (am / is) going to help you.

03 Which do you like better, coffee (and / or) tea?

04 Minsu and I (are / am) going to eat pizza for lunch.

5 다음 영어를 우리말로 쓰세요.

01 Eat lots of fruit and vegetables and drink water instead of soda.

→ ____________________

02 Visit your dentist if you have a dental problem.

→ ____________________

Drinking Water

1 다음 보기에서 의미와 일치하는 단어를 고르고 세 번 쓰세요.

essential　enough　exercise　tired　sweat　plenty

01 충분한 ______ ______ ______

02 많은 ______ ______ ______

03 필수의, 중요한 ______ ______ ______

04 땀, 땀나다 ______ ______ ______

05 피곤한 ______ ______ ______

06 운동하다 ______ ______ ______

2 다음 중 우리말과 같도록 빈칸에 들어갈 알맞은 말을 고르세요.

01

______ drinking enough water, your body will not work properly.
충분한 물을 마시지 않으면 여러분의 몸은 제대로 작동하지 않을 것이다.

① Without　② On　③ Instead of　④ Before　⑤ If

02

How ______ glasses of water do you drink a day?
하루에 얼마나 많은 잔의 물을 마시나요?

① a lot of　② long　③ much　④ many　⑤ tall

3 다음 영어와 우리말을 연결하세요.

01 come out through sweating •   • ⓐ 삶에 중요한

02 8 glasses of water •   • ⓑ 땀을 통해 나오다

03 essential for life •   • ⓒ 8잔의 물

4 다음 우리말과 같도록 주어진 단어들을 알맞게 배열하세요.

01 사람들이 지하철에서 마시거나 먹지 말아야 한다. (should / drink / or eat / not)

→ People ______________________ on the subway.

02 내 생각에 너는 택시를 타야 한다. (should / you / a taxi / take)

→ I think ______________________.

03 너는 탄산음료를 마시지 않는 게 좋겠다. (drink / not / soda / should)

→ You ______________________.

04 학생의 본분을 망각해서는 안 된다. (should / forget / not / your duty)

→ You ______________________ as a student.

5 다음 영어를 우리말로 쓰세요.

01 Drinking enough water is very important for our health.

→ ______________________

02 You should drink enough water when you exercise.

→ ______________________

1 다음 보기에서 의미와 일치하는 단어를 고르고 세 번 쓰세요.

often benefit sleep improve reduce illness

01 이점 ______ ______ ______

02 감소하다, 줄이다 ______ ______ ______

03 향상하다 ______ ______ ______

04 자주 ______ ______ ______

05 질병 ______ ______ ______

06 잠자다 ______ ______ ______

2 다음 중 우리말과 같도록 빈칸에 들어갈 알맞은 말을 고르세요.

01

How ______ do you exercise?
얼마나 자주 운동하나요?

① many ② much ③ long ④ always ⑤ often

02

Exercise can ______ your body stronger.
운동은 여러분 몸을 더 강하게 만들 수 있다.

① put ② visit ③ reduce ④ make ⑤ feel

3 다음 영어와 우리말을 연결하세요.

01 reduce the chance • • ⓐ 감기에 걸리다

02 exercise regularly • • ⓑ 기회를 줄이다

03 get a cold • • ⓒ 규칙적으로 운동하다

4 다음 중 보기의 get과 의미가 같은 것을 고르세요.

Where did you get the book?

① He got so angry.
② Call me when you get home.
③ What time did you get here?
④ I got the bag for my birthday from my aunt.
⑤ We got to London at 7 o'clock.

5 다음 영어를 우리말로 쓰세요.

01 Here are some benefits when you exercise regularly.

→ ______________________________

02 Exercise can also improve your appearance and make you beautiful.

→ ______________________________

My Wishes

1 다음 보기에서 의미와 일치하는 단어를 고르고 세 번 쓰세요.

astronaut space future brave achieve firefighter

01 소방관 ______ ______ ______

02 우주비행사 ______ ______ ______

03 미래 ______ ______ ______

04 용감한 ______ ______ ______

05 성취하다 ______ ______ ______

06 우주 ______ ______ ______

2 다음 중 우리말과 같도록 빈칸에 들어갈 알맞은 말을 고르세요.

01

My third wish is to ______ a firefighter.
나의 세 번째 소원은 소방관이 되는 것이다.

① buy ② become ③ have ④ take ⑤ call

02

I want to be a firefighter ______ my father.
나는 아빠처럼 소방관이 되고 싶다.

① like ② as ③ for ④ in ⑤ such

3 다음 영어와 우리말을 연결하세요.

01 achieve my wishes •　　　　• ⓐ 내 소원을 성취하다

02 fly in space •　　　　• ⓑ 야구선수

03 a baseball player •　　　　• ⓒ 우주에서 날다

4 다음 우리말과 같도록 주어진 단어들을 알맞게 배열하세요.

01 그녀는 커피를 마시고 싶어 한다. (to drink / wants / coffee)

→ She ________________________.

02 우리는 방과 후 야구를 하고 싶다. (like to / play / would / baseball)

→ We ________________________ after school.

03 우리는 점심으로 피자를 먹고 싶다. (like to / would / pizza / have)

→ We ________________________ for lunch.

5 다음 영어를 우리말로 쓰세요.

01 My second wish is to become a professional baseball player.

→ ________________________

02 I will try hard to achieve my wishes.

→ ________________________

1 다음 보기에서 의미와 일치하는 단어를 고르고 세 번 쓰세요.

complete admire participate painting practice prize

01 참여하다 ______ ______ ______

02 상 ______ ______ ______

03 그림 ______ ______ ______

04 연습하다 ______ ______ ______

05 완성하다 ______ ______ ______

06 칭찬하다 ______ ______ ______

2 다음 중 우리말과 같도록 빈칸에 들어갈 알맞은 말을 고르세요.

01 She also likes ______ flowers and trees.
그녀는 꽃과 나무 그리는 것도 좋아한다.

① making ② watching ③ buying ④ going ⑤ drawing

02 She wants to improve her drawing ______.
그녀는 그림 그리는 솜씨를 향상시키기를 원한다.

① crayons ② skills ③ hours ④ space ⑤ pictures

3 다음 영어와 우리말을 연결하세요.

01 win first prize • 　　　　• ⓐ 그리기 연습을 하다

02 practice drawing • 　　　　• ⓑ 그림을 완성하다

03 complete a painting • 　　　　• ⓒ 1등을 하다

4 다음 괄호 안에서 알맞은 것을 고르세요.

01 I (want to / would like) become a doctor.

02 I would like (visit / to visit) a museum.

03 I (would like / would like to) some coffee.

04 We want (to meeting / to meet) you again.

5 다음 영어를 우리말로 쓰세요.

01 She spends her free time drawing pictures.

→ ____________________

02 She's going to participate in a drawing competition next month.

→ ____________________

1 다음 보기에서 의미와 일치하는 단어를 고르고 세 번 쓰세요.

December birth religion send gift peace

01 선물 ______ ______ ______

02 12월 ______ ______ ______

03 탄생 ______ ______ ______

04 평화 ______ ______ ______

05 종교 ______ ______ ______

06 보내다 ______ ______ ______

2 다음 중 우리말과 같도록 빈칸에 들어갈 알맞은 말을 고르세요.

01
They ______ them with lights and ornaments.
그들은 전구와 장신구들로 그것들을 장식한다.

① take ② decorate ③ buy ④ forget ⑤ put

02
Make the season full of joy, peace, love, and ______.
즐거움과 평화, 사랑, 희망으로 가득한 크리스마스시즌을 보내세요.

① lunch ② happiness ③ day ④ space ⑤ hope

3 다음 영어와 우리말을 연결하세요.

01 around the world •　　　　• ⓐ 크리스마스트리를 세우다

02 put up Christmas trees •　　　　• ⓑ 예수의 탄생

03 the birth of Jesus •　　　　• ⓒ 전 세계에

4 다음 우리말과 같도록 주어진 단어들을 알맞게 배열하세요.

01 나는 그녀에게 연필을 주었다. (her / to / gave / a pencil)

→ I ______________________________.

02 그녀는 내게 시계를 보여주었다. (me / showed / her watch)

→ She ______________________________.

03 나는 그에게 생일 카드를 보냈다. (sent / him / a birthday card / to)

→ I ______________________________.

5 다음 영어를 우리말로 쓰세요.

01 Christmas falls on the 25th of December.

→ ______________________________

02 On Christmas day, people meet their family and have lunch together.

→ ______________________________

Deserts

1 다음 보기에서 의미와 일치하는 단어를 고르고 세 번 쓰세요.

place desert plant camel sandy cover

01 덮다 ______ ______ ______

02 모래의 ______ ______ ______

03 식물 ______ ______ ______

04 장소 ______ ______ ______

05 사막 ______ ______ ______

06 낙타 ______ ______ ______

2 다음 중 우리말과 같도록 빈칸에 들어갈 알맞은 말을 고르세요.

01

There is very ______ rain in deserts.
사막에는 아주 적은 비가 온다.

① much ② few ③ no ④ little ⑤ never

02

Many people think that all deserts are ______ and sandy.
많은 사람들이 모든 사막이 덥고 모래가 있다고 생각한다.

① cool ② hot ③ dry ④ cold ⑤ rainy

3 다음 영어와 우리말을 연결하세요.

01 be covered with ice •

02 a variety of animals •

03 the driest places •

• ⓐ 다양한 동물들

• ⓑ 얼음으로 덮여 있다

• ⓒ 가장 건조한 장소들

4 다음 괄호 안에서 알맞은 것을 고르세요.

01 I do (no / not) have any money.

02 They have (no / not) Korean friends.

03 She is (no / not) a teacher.

04 They (not / don't) have a bike.

5 다음 영어를 우리말로 쓰세요.

01 Camels live in dry areas like deserts.

→ ______________________________

02 The Sahara Desert is located in northern Africa.

→ ______________________________

1 다음 보기에서 의미와 일치하는 단어를 고르고 세 번 쓰세요.

temperature object diameter exist wasteland second

01 지름 ____ ____ ____

02 온도 ____ ____ ____

03 물체, 사물 ____ ____ ____

04 황무지 ____ ____ ____

05 초 ____ ____ ____

06 존재하다 ____ ____ ____

2 다음 중 우리말과 같도록 빈칸에 들어갈 알맞은 말을 고르세요.

01

The sun is very ________ from the Earth.
태양은 지구에서 아주 멀리 있다.

① near ② cool ③ short ④ high ⑤ far

02

Light from the sun takes 8 minutes and 20 seconds to ________ the Earth. 빛은 태양에서 지구까지 오는 데 8분 20초 걸린다.

① reach ② keep ③ rise ④ look ⑤ give

3 다음 영어와 우리말을 연결하세요.

01 a frozen wasteland • • ⓐ 공처럼 생겼다

02 the sun's diameter • • ⓑ 얼어 있는 황무지

03 look like a ball • • ⓒ 태양의 지름

4 다음 우리말과 같도록 주어진 단어를 이용하여 빈칸에 알맞은 말을 쓰세요.

01 This box is ____________ than that box. (heavy)
이 상자가 저 상자보다 더 무겁다.

02 My house is ____________ than your house. (small)
나의 집이 네 집보다 더 작다.

03 It is ____________ than a car. (expensive)
그것은 자동차보다 더 비싸다.

04 The Internet is ____________ than we think. (dangerous)
인터넷은 우리가 생각하는 것보다 더 위험하다.

5 다음 영어를 우리말로 쓰세요.

01 The sun is the largest object in the solar system.

→ ____________

02 Without the sun, no life can exist on the Earth.

→ ____________

1 다음 보기에서 의미와 일치하는 단어를 고르고 세 번 쓰세요.

climate thick seal decrease forever melt

01 녹다 ____________ ____________ ____________

02 감소하다 ____________ ____________ ____________

03 영원한 ____________ ____________ ____________

04 두꺼운 ____________ ____________ ____________

05 기후 ____________ ____________ ____________

06 바다표범 ____________ ____________ ____________

2 다음 중 우리말과 같도록 빈칸에 들어갈 알맞은 말을 고르세요.

01 They ____________ their food from the sea.
그들은 바다에서 음식을 얻는다.

① spend ② eat ③ get ④ rise ⑤ want

02 The ____________ of polar bears is decreasing.
북극곰의 수가 줄어들고 있다.

① spread ② people ③ time ④ number ⑤ day

3 다음 영어와 우리말을 연결하세요.

01 save the polar bears •
02 due to global warming •
03 live in cold climates •

• ⓐ 추운 기후에 살다
• ⓑ 지구온난화 때문에
• ⓒ 북극곰을 구하다

4 다음 우리말과 같도록 주어진 단어를 이용해 문장을 완성하세요.

01 이 타워가 저 건물만큼 높다. (tall)

→ This tower is ______________________ that building.

02 수잔은 캐시만큼 현명하지 않다. (smart)

→ Susan is ______________________ Cathy.

03 톰은 존만큼 강하지 않다. (strong)

→ Tom is ______________________ John.

5 다음 영어를 우리말로 쓰세요.

01 They spend much of their time on the ice.

→ ______________________

02 Due to global warming, the ice in the Arctic is melting.

→ ______________________

Barack Obama

1 다음 보기에서 의미와 일치하는 단어를 고르고 세 번 쓰세요.

childhood daughter graduate president leave election

01 선거 ______ ______ ______

02 떠나다 ______ ______ ______

03 어린 시절 ______ ______ ______

04 졸업하다 ______ ______ ______

05 딸 ______ ______ ______

06 대통령 ______ ______ ______

2 다음 중 우리말과 같도록 빈칸에 들어갈 알맞은 말을 고르세요.

01

Let me tell you ______ Barack Obama.
여러분에게 버락 오바마에 대해서 말할게요.

① to ② about ③ for ④ as ⑤ in

02

In 2008, he ran for president and ______ the election.
2008년에 그는 대통령에 출마했고 선거에서 이겼다.

① served ② left ③ became ④ won ⑤ lived

3 다음 영어와 우리말을 연결하세요.

01 became an attorney • • ⓐ 노벨평화상을 받았다

02 won the Nobel Peace Prize • • ⓑ 하와이에서 태어나다

03 be born in Hawaii • • ⓒ 변호사가 되었다

4 다음 빈칸에 during이나 for를 쓰세요.

01 You did a lot of things ________________ the winter vacation.

02 Let's take a break ________________ 10 minutes.

03 I learned English ________________ 5 years.

04 It rains a lot in Korea ________________ summer.

05 I read a book ________________ 4 hours yesterday.

5 다음 영어를 우리말로 쓰세요.

01 He spent most of his childhood there.

→ ________________________________

02 He was the president for 8 years from 2009 to 2017.

→ ________________________________

1 다음 보기에서 의미와 일치하는 단어를 고르고 세 번 쓰세요.

hear land mission astronaut watch spacecraft

01 착륙하다 ______ ______ ______

02 듣다 ______ ______ ______

03 임무 ______ ______ ______

04 우주선 ______ ______ ______

05 우주비행사 ______ ______ ______

06 보다, 시청하다 ______ ______ ______

2 다음 중 우리말과 같도록 빈칸에 들어갈 알맞은 말을 고르세요.

01

Its mission was to ______ people to the moon.
그것의 임무는 사람을 달에 보내는 것이었다.

① give ② send ③ buy ④ wait ⑤ speak

02

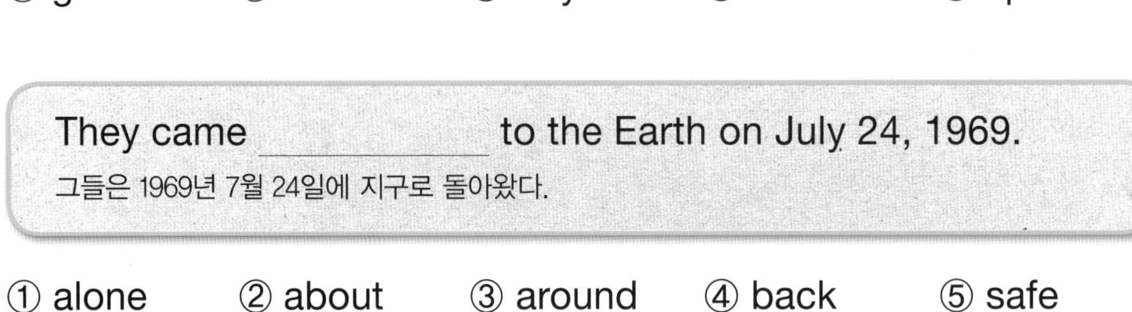

They came ______ to the Earth on July 24, 1969.
그들은 1969년 7월 24일에 지구로 돌아왔다.

① alone ② about ③ around ④ back ⑤ safe

3 다음 영어와 우리말을 연결하세요.

01 land on the moon •　　　　• ⓐ 수많은 사람들

02 the first spacecraft •　　　　• ⓑ 달에 착륙하다

03 millions of people •　　　　• ⓒ 첫 번째 우주선

4 다음 괄호 안에서 알맞은 것을 고르세요.

01 The city has a population of 5 (million / millions).

02 (Million / Millions) of people all around the world watched the game.

03 About one (million / millions) people visit there every month.

04 Every year, millions of (tourist / tourists) travel to China.

5 다음 영어를 우리말로 쓰세요.

01 It was the first spacecraft to land on the moon.

→ ______________________________

02 Millions of people around the world watched TV to see them land on the moon.

→ ______________________________

Alfred Nobel

1 다음 보기에서 의미와 일치하는 단어를 고르고 세 번 쓰세요.

chemistry   invent   weapon   heritage   reputation   October

01 발명하다 ________ ________ ________

02 유산 ________ ________ ________

03 10월 ________ ________ ________

04 명성 ________ ________ ________

05 화학 ________ ________ ________

06 무기 ________ ________ ________

2 다음 중 우리말과 같도록 빈칸에 들어갈 알맞은 말을 고르세요.

01

This invention made him very ________.

그 발명은 그를 매우 부자로 만들었다.

① famous   ② serious   ③ poor   ④ rich   ⑤ born

02

He was an intelligent man and could ________ 6 languages.

그는 지적인 사람이었고 6개 언어를 말할 수 있었다.

① make   ② study   ③ get   ④ speak   ⑤ buy

3 다음 영어와 우리말을 연결하세요.

01 our global heritage • • ⓐ 다이너마이트를 발명하다

02 establish the Nobel Prizes • • ⓑ 세계 유산

03 invent dynamite • • ⓒ 노벨상을 설립하다

4 다음 주어진 동사의 올바른 과거형을 빈칸에 써서 문장을 완성하세요.

01 They ____________ the bridge last year. (build)

02 I ____________ all day long during class at school. (sleep)

03 Alex ____________ in English and France naturally. (speak)

04 He ____________ me a text message yesterday. (send)

5 다음 영어를 우리말로 쓰세요.

01 Alfred Nobel founded the Nobel Prizes before he died.

→ ________________________________

02 The Nobel Prizes are awarded on December 10.

→ ________________________________

1 다음 보기에서 의미와 일치하는 단어를 고르고 세 번 쓰세요.

government island elephant temple ancient snake

01 섬 ______ ______ ______

02 뱀 ______ ______ ______

03 절 ______ ______ ______

04 코끼리 ______ ______ ______

05 고대의 ______ ______ ______

06 정부 ______ ______ ______

2 다음 중 우리말과 같도록 빈칸에 들어갈 알맞은 말을 고르세요.

01

Asia is the largest ____________ in the world.
아시아는 세계에서 가장 큰 대륙이다.

① ocean ② country ③ continent ④ island ⑤ sea

02

In Asia, we can see a lot of ____________ animals.
아시아에서 우리는 많은 야생 동물들을 볼 수 있다.

① brave ② wild ③ indoor ④ tall ⑤ most

3 다음 영어와 우리말을 연결하세요.

01 be made up of islands • • ⓐ 가장 많은 사람이 살고 있는 나라

02 breathtaking views • • ⓑ 숨 막히는 경치

03 most populated countries • • ⓒ 섬들로 이루어지다

4 다음 우리말과 같도록 주어진 단어들을 알맞게 배열하세요.

01 교실에 있는 소년들은 나의 친구들이다. (in / The boys / the classroom)

→ ______________________________ are my friends.

02 나는 저쪽에서 피아노를 치고 있는 소녀를 알고 있다. (playing / the piano / the girl)

→ I know ______________________________ over there.

03 소파에 앉아 있는 검은 고양이는 매우 사랑스럽다. (sitting / The black cat / on the sofa)

→ ______________________________ is very lovely.

5 다음 영어를 우리말로 쓰세요.

01 In many Asian countries, people have rice for breakfast, lunch, and dinner.

→ ______________________________

02 Asia is filled with breathtaking views, ancient temples, and beautiful cities.

→ ______________________________

1 다음 보기에서 의미와 일치하는 단어를 고르고 세 번 쓰세요.

travel surface round flattened scientist around

01 대략 ______ ______ ______

02 여행하다 ______ ______ ______

03 둥근 ______ ______ ______

04 과학자 ______ ______ ______

05 표면 ______ ______ ______

06 평평한 ______ ______ ______

2 다음 중 우리말과 같도록 빈칸에 들어갈 알맞은 말을 고르세요.

01

The Earth is the third ______ from the sun in our solar system. 지구는 태양계에서 태양으로부터 세 번째 행성이다.

① planet ② island ③ home ④ surface ⑤ year

02

The Earth's surface is ______ with water.
지구 표면은 물로 덮여 있다.

① taken ② flattened ③ covered ④ traveled ⑤ completed

3 다음 영어와 우리말을 연결하세요.

01 travel around the sun •		• ⓐ 1년 걸리다
02 our solar system •		• ⓑ 태양 주의를 돌다
03 take 365 days •		• ⓒ 태양계

다음 중 보기의 take와 의미가 같은 것을 고르세요.

> How long does it take to get to the market?

① I take a shower in the morning.

② They took me to a nearby hospital.

③ Take the medicine after meals.

④ It took 3 years to build this bridge.

⑤ A lot of people take the subway to work every day.

5 다음 영어를 우리말로 쓰세요.

01 How long does the Earth take to travel around the sun?

→ ______________________________

02 The Earth takes 365 days to orbit the sun completely.

→ ______________________________

1 다음 보기에서 의미와 일치하는 단어를 고르고 세 번 쓰세요.

save future waste grocery recycle environment

01 미래 ______ ______ ______

02 낭비하다 ______ ______ ______

03 환경 ______ ______ ______

04 재활용하다 ______ ______ ______

05 구하다 ______ ______ ______

06 식료품 ______ ______ ______

2 다음 중 우리말과 같도록 빈칸에 들어갈 알맞은 말을 고르세요.

01 Turn ______ the water while you're brushing your teeth.
양치를 하는 동안에 물을 잠가라.

① on ② to ③ off ④ in ⑤ over

02 Walk or ______ your bike to school.
학교에는 걷거나 자전거를 타고 가라.

① stay ② get ③ borrow ④ waste ⑤ ride

3 다음 영어와 우리말을 연결하세요.

01 our future generations •   • ⓐ 재사용 가능한 쇼핑 가방

02 both sides of the paper •   • ⓑ 종이 양면

03 a reusable shopping bag •   • ⓒ 우리의 미래 세대

4 다음 보기와 같은 의미가 되도록 빈칸에 알맞은 말을 쓰세요.

Bill saves money to buy a new computer.
빌은 새 컴퓨터를 사기 위해 돈을 모은다.

01 Bill saves money ________ ________ he ________ buy a new computer.

02 Bill saves money ________ ________ ________ buy a new computer.

5 다음 영어를 우리말로 쓰세요.

01 Turn off the lights when you're not in the room.

→ ______________________________

02 Stop using plastic bags when you buy groceries.

→ ______________________________

The Greedy Dog

1 다음 보기에서 의미와 일치하는 단어를 고르고 세 번 쓰세요.

meat bridge stream open bark greedy

01 다리 ________ ________ ________

02 개울, 시내 ________ ________ ________

03 열다 ________ ________ ________

04 욕심 많은 ________ ________ ________

05 짖다 ________ ________ ________

06 고기 ________ ________ ________

2 다음 중 우리말과 같도록 빈칸에 들어갈 알맞은 말을 고르세요.

01

A dog had a ________ of meat in his mouth.
개가 입에 고기 한 조각을 가지고 있었다.

① piece ② each ③ another ④ bottle ⑤ cup

02

He was not aware that it was ________ own reflection.
그는 그것이 자신의 그림자라는 것을 알지 못했다.

① its ② her ③ our ④ his ⑤ my

3 다음 영어와 우리말을 연결하세요.

01 his own reflection •　　• ⓐ 나무로 만든 다리

02 fall into the water •　　• ⓑ 그 자신의 그림자

03 a wooden bridge •　　• ⓒ 물속으로 떨어지다

4 다음 우리말과 같도록 보기의 단어를 이용하여 문장을 완성하세요.

bottle	cup	piece

01 그녀는 아침에 커피 한 잔을 마신다.

→ She drinks a __________ of coffee in the morning.

02 그는 프라이드치킨 2조각을 먹었다.

→ He ate two __________ of fried chicken.

03 물 한 병 가져다 주시겠어요?

→ Could you bring me a __________ of water?

5 다음 영어를 우리말로 쓰세요.

01 The dog was walking across a wooden bridge over a stream.

→ ______________________________

02 He opened his mouth to bark at his own reflection.

→ ______________________________

The Rabbit and the Turtle

1 다음 보기에서 의미와 일치하는 단어를 고르고 세 번 쓰세요.

turtle   slowly   nap   pass   accept   wake up

01 천천히 __________ __________ __________

02 깨어나다 __________ __________ __________

03 받아들이다 __________ __________ __________

04 거북 __________ __________ __________

05 통과하다 __________ __________ __________

06 낮잠 __________ __________ __________

2 다음 중 우리말과 같도록 빈칸에 들어갈 알맞은 말을 고르세요.

01

The rabbit accepted the __________.

토끼는 그 도전을 받아들였다.

① race ② challenge ③ point ④ line ⑤ invitation

02

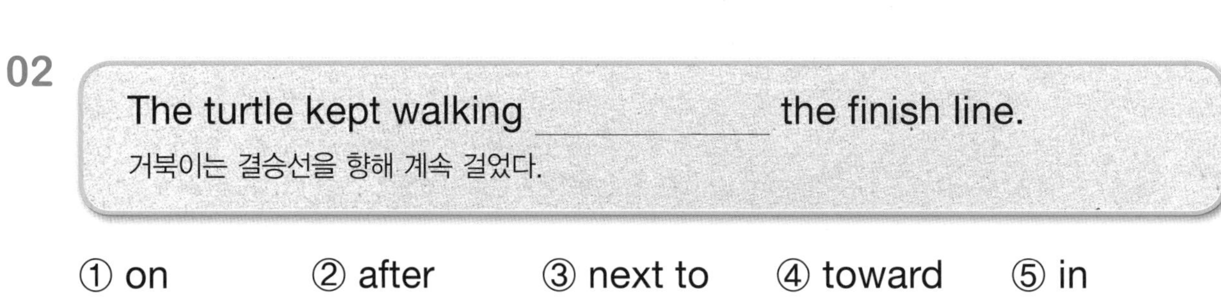

The turtle kept walking __________ the finish line.

거북이는 결승선을 향해 계속 걸었다.

① on ② after ③ next to ④ toward ⑤ in

3 다음 영어와 우리말을 연결하세요.

01 reach the finish line • • ⓐ 반환점

02 halfway point • • ⓑ 잠시 후에

03 after a while • • ⓒ 결승선에 도착하다

4 다음 문장을 부정문으로 바꾸세요.

01 I watched TV last night.

→ ______________________ last night.

02 We went to the park yesterday.

→ ______________________ yesterday.

03 He had rice noodles for lunch.

→ ______________________ for lunch.

04 She took a walk in the morning.

→ ______________________ in the morning.

5 다음 영어를 우리말로 쓰세요.

01 The rabbit could not see the turtle anywhere.

→ ______________________

02 The rabbit was far ahead of the turtle.

→ ______________________

1 다음 보기에서 의미와 일치하는 단어를 고르고 세 번 쓰세요.

fable humorous appear generation character author

01 유머 있는 ____________ ____________ ____________

02 나타나다 ____________ ____________ ____________

03 저자 ____________ ____________ ____________

04 세대 ____________ ____________ ____________

05 우화 ____________ ____________ ____________

06 등장인물 ____________ ____________ ____________

2 다음 중 우리말과 같도록 빈칸에 들어갈 알맞은 말을 고르세요.

01

They act and talk just like ____________.

그들은 인간처럼 행동하고 말한다.

① humans ② animals ③ stories ④ women ⑤ children

02

He lived about 2,500 years ago in ____________ Greece.

그는 대략 2500년 전 고대 그리스에 살았다.

① different ② proud ③ ancient ④ short ⑤ modern

3 다음 영어와 우리말을 연결하세요.

01 the characters of the fables •

02 jump into the main event •

03 introduction of characters •

• ⓐ 주요 사건이 시작하다

• ⓑ 우화 등장인물들

• ⓒ 등장인물들 소개

4 다음 문장을 의문문으로 만들 때 빈칸에 알맞은 표현을 쓰세요.

01 They went to the zoo.

→ ____________ they ____________ to the zoo?

02 You saw Jenny at the party.

→ ____________ you ____________ Jenny at the party?

03 They washed the dishes.

→ ____________ they ____________ the dishes?

04 He read a book last night.

→ ____________ he ____________ a book last night?

5 다음 영어를 우리말로 쓰세요.

01 The characters of the fables are usually animals.

→ ____

02 Aesop's fables are still popular today.

→ ____

Memo

Memo

Memo

In books
www.inkbooks.co.kr
구매문의 02) 455 9620

Longman

Reading

ANSWERS

ANSWERS

Chapter 1 건강

UNIT 1 건강한 이

Do you have healthy teeth?
당신은 건강한 이를 가지고 있나요?

Here are ways to keep your teeth healthy.
여기 당신의 이를 건강하게 유지하는 방법들이 있어요.

- Brush your teeth after meals or eating sweet snacks.
  식사나 단 과자를 먹고 난 후에는 양치를 해라.
- Brush all of your teeth, not just the front ones. 앞니만 닦지 말고 당신의 모든 치아들을 닦아라.
- Brush your teeth for 3 minutes.
  당신의 치아를 3분 동안 닦아라.
- Eat lots of fruit and vegetables and drink water instead of soda.
  과일과 야채를 많이 먹고 탄산음료 대신에 물을 마셔라.
- Wear a mouth guard or full-face helmet when you play sports.
  스포츠를 할 때는 마우스 가드나 얼굴 보호 헬멧을 써라.
- See your dentist for regular check-ups.
  정기 검사를 위해 치과에 가라.
- Visit your dentist if you have a dental problem. 치아에 문제가 있으면 치과에 가라.
- Change your toothbrush every 3 months.
  3달마다 칫솔을 바꿔라.

READING CHECK

1 ④ 2 ⑤ 3 ②
4 brush your teeth for 3 minutes

해석 및 해설

1 ① 건강한 몸에 대한 조언
② 치과에 가라
③ 양치질하는 방법
④ 건강한 치아에 대한 조언
⑤ 칫솔 만드는 법

4 A: 나는 양치를 얼마 동안 해야 하니?

WORD CHECK

1 ⑤ 2 (1) sweet (2) minutes (3) way 3 ③ 4 ②

해석 및 해설

1 탄산음료는 치아에 좋지 않다.
2 (1) 이 초콜릿은 매우 달다.
(2) 10분간 쉬자.
(3) 동물원 가는 길을 알려주실 수 있나요?
4 강한 재질로 만들어진 모자

GRAMMAR TIME

1 (1) are (2) am (3) or 2 (1) and (2) or

해석 및 해설

1 (1) 존과 톰이 너를 도와줄 것이다.
(2) 민수나 내가 너를 도와줄 것이다.
(3) 커피를 원하니, 아니면 차를 원하니?

UNIT 2 물 마시기

About 60% of the human body is water.
인간 몸의 약 60%가 물이에요.

The water in our body is essential for life.
우리 몸의 물은 삶에 꼭 필요해요.

Without drinking enough water, your body will not work properly.
충분한 물을 마시지 않으면 여러분의 몸은 제대로 작동하지 않을 거예요.

Drinking enough water is very important for our health.
충분한 물을 마시는 것은 우리 건강에 매우 중요해요.

You should drink enough water when you exercise.
여러분은 운동할 때 충분한 물을 마셔야 해요.

When you exercise, water in your body comes out through sweating.
여러분이 운동할 때 여러분 몸의 물은 땀으로 나와요.

If you don't drink enough water, you may feel thirsty and tired.
만약 여러분이 충분한 물을 마시지 않으면 여러분은 목이 마르고 피곤할 수 있어요.

How many glasses of water do you drink a day? 하루에 얼마나 많은 잔의 물을 마시나요?

Doctors say that you should drink at least 8 glasses of water every day.
의사들은 여러분이 적어도 매일 8잔의 물을 마셔야 한다고 해요.

So make sure you drink plenty of water, especially in summer!
그래서 여러분은 충분한 물을 마셔야 해요, 특히 여름에는!

READING CHECK

1 ③　2 ⑤　3 ②
4 About 60% of the human body

해석 및 해설

1 ① 물 절약에 대한 조언
② 건강을 위한 규칙적 운동
③ 물은 우리의 삶이다
④ 지구를 구하자
⑤ 여름에 물을 마셔라
4 A: 인간의 몸에는 몇 퍼센트의 물이 있니?

WORD CHECK

1 ④　2 (1) essential (2) at least (3) glasses
3 ②　4 ③

해석 및 해설

1 우리는 물 없이 살 수 없다.
2 (1) 공기는 우리 삶에 꼭 필요하다.
(2) 너는 적어도 하루에 사과 한 개는 먹어야 한다.
(3) 하루에 얼마나 많은 잔의 물을 마시니?
4 무엇인가 마셔야 하는 느낌을 갖는 것

GRAMMAR TIME

1 (1) 난 네가 지금 집에 가는 게 좋다고 생각한다.
(2) 그녀는 휴식을 취하는 것이 좋겠다.
(3) 너는 커피를 마시지 않는 게 좋겠다.
(4) 너는 밤늦게 먹지 않는 게 좋겠다.
(5) 너는 건강에 좋은 음식을 먹는 게 좋겠다.

UNIT 3 규칙적 운동

How often do you exercise?
얼마나 자주 운동하나요?
Do you exercise every day?
당신은 매일 운동하나요?
It is important to exercise regularly.
규칙적으로 운동하는 것은 중요해요.
Here are some benefits when you exercise regularly.
여기 여러분이 규칙적으로 운동할 때 이로운 점이 있어요.

- Exercise can make your body stronger.
운동은 여러분 몸을 더 강하게 만들 수 있어요.
- Exercise can help you sleep better.
운동은 여러분을 더 잘 자게 도울 수 있어요.
- Exercise can also improve your appearance and make you beautiful.
운동은 여러분의 외모를 향상시킬 수도 있고 여러분을 아름답게 만들 수도 있어요.
- Exercise makes you feel more energetic.
운동은 여러분들을 더 활기차게 느끼도록 만들어요.
- Exercise reduces the chance of getting a cold, flu, and other illnesses.
운동은 감기, 독감, 그리고 다른 질병이 생길 가능성을 줄여줘요.

So get up and move.
이제 일어나서 움직여요.
Exercising regularly will make you happier.
규칙적인 운동은 여러분을 더 행복하게 만들 거예요.

READING CHECK

1 ①　2 ④　3 ③　4 (1) Yes (2) Yes (3) No

해석 및 해설

1 ① 규칙적인 운동의 이로운 점
② 신체를 더 건강하게 만드는 것의 이로운 점
③ 잘 자는 방법
④ 혈압을 낮추는 방법
⑤ 외모를 향상시키는 방법
4 (1) 규칙적으로 운동하는 것이 중요하니?
(2) 우리가 규칙적으로 운동하면 기분이 더 좋아질 수 있니?
(3) 운동이 감기에 걸릴 가능성을 높여주니?

WORD CHECK

1 ②　2 (1) important (2) help (3) feel　3 ⑤　4 ①

해석 및 해설

2 (1) 나는 5시에 중요한 모임이 있다.
(2) 이 박스 옮기는 것을 도와줄 수 있니?
(3) 나는 오늘 아침 기분이 좋다.
4 건강을 위해 몸을 활기차게 움직이기

GRAMMAR TIME

1 ⑤ 2 (1) 나는 과학 시험에서 좋은 성적을 받지 못했다.
(2) 우리는 5시 45분에 박물관에 도착했다.

해석 및 해설

1 너는 몇 시에 여기 도착했니?
① 너는 어디서 그 책을 받았니?
② 그는 화가 나서 걸어 나갔다.
③ 날씨가 추워지고 있다.
④ 나는 고모에게 내 생일에 가방을 받았다.
⑤ 우리는 7시에 런던에 도착했다.

REVIEW TEST

01 ⑤ 02 ② 03 ② 04 ③ 05 ④
06 change your toothbrush every 3 months
07 ⑤ 08 ① 09 ② 10 ② 11 ① 12 ③
13 (1) health (2) enough (3) change
14 should not drink 15 너는 몇 시에 공항에 도착했니?

해석 및 해설

04 ① 존과 톰은 너를 도울 것이다.
② 너는 커피를 원하니, 아니면 차를 원하니?
④ 그녀는 7시에 런던에 도착했다.
⑤ 날씨가 어두워지고 있다.
*should 다음에는 동사원형이 와야 합니다.

[05-07]
여기 당신의 이를 건강하게 유지하는 방법들이 있다.
식사나 단 과자를 먹고 난 후에는 양치를 해라.
앞니만 닦지 말고 당신의 모든 치아들을 닦아라.
당신의 치아를 3분 동안 닦아라.
탄산음료 대신에 물을 마셔라.
스포츠를 할 때는 마우스 가드나 얼굴 보호 헬멧을 써라.
정기 검사를 위해 치과에 가라.
치아에 문제가 있으면 치과에 가라.
3달마다 칫솔을 바꿔라.

06 A: 얼마나 자주 나는 칫솔을 바꿔야 하니?
08 초콜릿 바 같은 것들
09 그녀는 얼굴의 땀을 닦고 있다.
10 나는 목마르다. 물을 좀 줄 수 있니?
11 하루에 얼마나 많은 잔의 물을 마시니?
13 (1) 신선한 과일은 우리 건강에 좋다.
(2) 우리는 충분한 음식이 없다.
(3) 그녀는 그녀의 계획을 바꿀 것이다.

WORD MASTER

01 외모	02 이점	03 가능성
04 특히	05 운동하다	06 건강한
07 인간의	08 병	09 중요한
10 향상시키다	11 적당히	12 줄이다
13 규칙적으로	14 땀, 땀나다	15 목마른

Chapter 2 소원

UNIT 1 나의 소원

I have three wishes.
나는 세 가지 소원이 있어요.
My first wish is to become an astronaut.
나의 첫 번째 소원은 우주비행사가 되는 거예요.
I want to fly in space.
나는 우주를 날고 싶어요.
I'd like to see our planet from space.
나는 우주에서 우리 행성을 보고 싶어요.
My second wish is to become a professional baseball player.
나의 두 번째 소원은 프로야구선수가 되는 거예요.
Baseball is my favorite sport.
야구는 내가 좋아하는 스포츠예요.
I'm on the club baseball team.
나는 야구 클럽 팀에 있어요.
I want to be a major league baseball player in the future.
나는 미래에 메이저리그 야구선수가 되고 싶어요.
My third wish is to become a firefighter.
나의 세 번째 소원은 소방관이 되는 거예요.
My dad is a firefighter.
나의 아빠는 소방관이에요.
He is strong and brave.
그는 강하고 용감해요.
He is my hero.
그는 나의 영웅이에요.
I want to be a firefighter like my father.
나는 아버지처럼 소방관이 되고 싶어요.
I will try hard to achieve my wishes.
나는 내 소원을 성취하기 위해서 열심히 노력할 거예요.

READING CHECK

1 ① 2 ④ 3 ③ 4 (1) T (2) F (3) T

해석 및 해설

1 ① 나의 세 가지 소원
② 세계의 직업
③ 내가 좋아하는 스포츠
④ 소방관이 되는 법
⑤ 나의 소원을 이루는 방법

4 (1) 나는 미래에 프로야구선수가 되고 싶다.
(2) 나의 두 번째 소원은 의사가 되는 것이다.
(3) 나는 야구 클럽 팀 회원이다.

WORD CHECK

1 ⑤ 2 (1) baseball (2) future (3) strong
3 ③ 4 ①

해석 및 해설

1 샘은 노래를 매우 잘한다. 그는 프로 가수다.
2 (1) 우리는 야구를 하고 싶다.
(2) 너는 미래에 뭐가 되고 싶어?
(3) 제임스는 키가 크지 않지만 강하다.
4 미식축구나 농구 같은 활동들

GRAMMAR TIME

1 (1) to go (2) to buy
2 (1) 나는 TV를 보고 싶다.
(2) 우리는 너를 돕고 싶다.
(3) 우리는 점심으로 피자를 먹고 싶다.

해석 및 해설

1 (1) 나는 쇼핑하러 가고 싶다.
(2) 그녀는 새 컴퓨터를 사고 싶다.

UNIT 2 예술가

My older sister Ann likes drawing.
나의 누나 앤은 그림 그리는 것을 좋아해요.
She spends her free time drawing pictures. 그녀는 자유 시간을 그림을 그리면서 보내요.
She feels very happy when she completes a painting.
그녀는 그림을 완성할 때 행복을 느껴요.
She wants to become an artist when she grows up. 그녀는 자라서 화가가 되기를 원해요.
She likes drawing pictures of people and animals.
그녀는 사람과 동물들 그림을 그리는 것을 좋아해요.
She also likes drawing flowers and trees.
그녀는 꽃과 나무 그리는 것도 좋아해요.
She uses crayons or paint to draw pictures.
그녀는 크레용과 물감을 이용해서 그림을 그려요.

Her teacher told her that she is very good at painting. 그녀의 선생님은 그녀가 그림을 매우 잘 그린다고 말했어요.

My family and friends admire her paintings.
나의 가족과 친구들은 그녀의 그림들을 칭찬해요.

She's going to participate in a drawing competition next month.
그녀는 다음 달 미술대회에 참가할 거예요.

She practices drawing for 2 hours every day. 그녀는 매일 2시간씩 그림 그리기 연습을 해요.

She wants to improve her drawing skills.
그녀는 그림 그리는 솜씨를 향상시키기를 원해요.

I hope my sister will win first prize in the competition.
나는 그 대회에서 나의 누나가 1등 하기를 바라고 있어요.

READING CHECK

1 ⑤ 2 ② 3 ⑤
4 spends her free time drawing pictures

해석 및 해설

4 A: 앤은 한가할 때 무엇을 하니?

WORD CHECK

1 ④ 2 (1) competition (2) flowers (3) good
3 ③ 4 ③

해석 및 해설

1 나는 영어 말하는 능력을 향상시키고 싶다.
2 (1) 나는 글짓기 대회에서 상을 받았다.
(2) 나는 꽃에 물을 줄 것이다.
(3) 그녀는 수영을 잘한다.
3 그 소년은 달을 그리고 있다.
4 개, 사자나 토끼 같은 살아있는 생명체

GRAMMAR TIME

1 (1) 나는 산책을 하고 싶다.
(2) 커피를 좀 드시겠어요?
(3) 우리는 너를 다시 만나고 싶다.
(4) 고맙다는 말씀을 드리고 싶다.

UNIT 3 크리스마스 소원

Christmas falls on the 25th of December.
크리스마스는 12월 25일이에요.

Christmas celebrates the birth of Jesus.
크리스마스는 예수님의 탄생을 축하해요.

On Christmas day, Christians wear new clothes and go to church.
크리스마스에 기독교인들은 새옷을 입고 교회에 가요.

People from other religions also enjoy Christmas.
다른 종교를 가진 사람들도 크리스마스를 즐겨요.

People send Christmas cards to their family and friends.
사람들은 가족과 친구들에게 크리스마스카드를 보내요.

People put up Christmas trees at home.
사람들은 집에 크리스마스트리를 세워요.

They decorate them with lights and ornaments.
그들은 전구와 장신구들로 그것들을 장식해요.

People hang Christmas stockings near the fireplace on Christmas Eve so that Santa Claus can fill them up with gifts.
사람들은 크리스마스이브에 산타클로스가 선물을 채워 넣을 수 있도록 벽난로 근처에 크리스마스 양말을 걸어요.

On Christmas day, people meet their family and have lunch together.
크리스마스에 사람들은 가족을 만나고 점심을 함께 해요.

Merry Christmas and Happy New Year!
메리 크리스마스 그리고 해피 뉴 이어!

Make the season full of joy, peace, love, and hope. 즐거움과 평화, 사랑, 희망으로 가득한 크리스마스시즌을 보내세요.

READING CHECK

1 ⑤ 2 ① 3 ① 4 (1) T (2) F (3) F

해석 및 해설

2 ① 산타클로스에게서 선물을 받으려고
② 벽난로를 장식하려고
③ 서로서로 선물을 나누려고
④ 거실을 장식하려고
⑤ 크리스마스트리를 장식하려고
4 (1) 기독교인이 아닌 사람들도 크리스마스를 즐긴다.
(2) 사람들은 벽난로 근처에 크리스마스트리를 놓는다.
(3) 사람들은 크리스마스에 저녁을 먹으러 나간다.

WORD CHECK

1 ⑤　2 (1) December (2) church (3) send　3 ③　4 ①

해석 및 해설

1 에이미는 생일 선물로 인형을 받았다.
2 (1) 12월은 1년의 마지막 달이다.
(2) 우리는 매주 일요일에 교회에 간다.
(3) 나는 너한테 문자메시지를 보낼 것이다.
3 그들은 크리스마스트리를 장식하고 있다.
4 셔츠, 코트, 반바지나 드레스 같은 것들

GRAMMAR TIME

1 (1) gave a flower to her (2) showed me the book
(3) sent a letter to him
2 (1) 그는 나에게 5달러를 주었다.
(2) 나는 그녀에게 꽃을 좀 보냈다.

REVIEW TEST

01 ②　02 ②　03 ⑤　04 ④　05 ④　06 ①　07 ②
08 ⑤　09 ①　10 ④　11 ①　12 ②　13 (1) hours
(2) astronaut (3) planet　14 gave me his cap
15 나는 우주에서 우리 행성을 보고 싶다.

해석 및 해설

04 ① 나는 네 친구가 되고 싶다.
② 나는 네 친구가 됐으면 좋겠다.
③ 그녀는 수영을 하러 가고 싶다.
⑤ 그녀는 내게 그녀의 사진을 보여줬다.
*수여동사 give 문장에서는 to 다음에 사람 목적어가 옵니다.

[05-07]
나의 누나 앤은 그림 그리는 것을 좋아한다.
그녀는 자유 시간을 그림을 그리면서 보낸다.
그녀는 사람과 동물들 그림을 그리는 것을 좋아한다.
그녀는 꽃 그리는 것도 좋아한다.
그녀는 종종 꽃 그림을 그리려고 하이킹을 간다.
그녀는 크레용과 연필을 이용해서 그림을 그린다.
그녀의 학교에서 미술대회가 있을 것이다.
그녀는 대회에서 1등을 하기를 원한다.
그녀는 매일 2시간씩 그림 그리기 연습을 한다.
그녀는 커서 화가가 되고 싶다.

05 ① 앤은 커서 뭐가 되고 싶니?
② 앤은 한가할 때 무엇을 하니?
③ 앤은 무엇을 그리는 것을 좋아하니?
④ 앤은 얼마나 자주 하이킹을 가니?
⑤ 앤은 얼마나 오래 그림 그리기 연습을 하니?
06 앤은 미술대회에 참여할 것이다.
08 아침과 저녁 사이의 간단한 정오 식사
09 그들은 식당에서 저녁을 먹고 있다.
10 나의 꿈은 영화감독이 되는 것이다.
11 그녀는 피아노를 연습하면서 많은 시간을 보낸다.
13 (1) 우리는 쉬지 않고 몇 시간 동안 일했다.
(2) 그는 한국의 최초 우주비행사였다.
(3) 우리의 행성을 보호하는 것은 매우 중요하다.

WORD MASTER

01 성취하다	02 우주비행사	03 용감한
04 축하하다	05 대회	06 완성하다
07 장식하다	08 벽난로	09 미래
10 장신구	11 참가하다	12 행성
13 연습하다	14 종교	15 우주

Chapter 3 자연

UNIT 1 사막

Deserts are the driest places on the Earth. 사막은 지구에서 가장 건조한 곳이에요.

The largest and hottest desert on the Earth is the Sahara Desert.
지구에서 가장 크고 더운 사막은 사하라 사막이에요.

The Sahara Desert is located in northern Africa. 사하라 사막은 북아프리카에 위치해 있어요.

There is very little rain in deserts.
사막에는 아주 적은 비가 와요.

There are not many plants in deserts.
사막에는 식물들이 많지 않아요.

But deserts are home to a variety of animals. 하지만 사막은 다양한 동물들의 고향이에요.

Camels live in dry areas like deserts.
낙타는 사막 같은 건조한 지역에서 살아요.

Coyotes and rattlesnakes live in deserts in the United States.
코요테와 방울뱀은 미국에 있는 사막에 살아요.

Many people think that all deserts are hot and sandy.
많은 사람들이 모든 사막이 덥고 모래가 있다고 생각해요.

But some deserts are very cold.
하지만 어떤 사막들은 매우 추워요.

Antarctica is a cold desert.
남극 대륙은 추운 사막이에요.

It is the coldest desert on the Earth.
그것은 지구에서 가장 추운 사막이에요.

There is no rain in Antarctica.
남극 대륙에는 비가 오지 않아요.

It is covered with ice.
그것은 얼음으로 덮여 있어요.

READING CHECK

1 ③ 2 ② 3 ① 4 covered with ice

해석 및 해설

4 A: 남극 대륙은 무엇으로 덮여 있니?

WORD CHECK

1 ② 2 (1) rain (2) hot (3) home 3 ③ 4 ⑤

해석 및 해설

1 사막에는 물, 비, 나무, 식물들이 거의 없다.
2 (1) 하늘을 봐라, 비가 올 것 같다.
(2) 오늘은 매우 덥다.
(3) 나를 집에 태워줄 수 있나요?
4 얼은 물

GRAMMAR TIME

1 (1) no (2) isn't (3) friends (4) no (5) a doctor
2 don't[do not]

해석 및 해설

1 (1) 증거가 없다.
(2) 병에 물이 조금도 없다.
(3) 그녀는 친구들이 없다.
(4) 그들은 돈이 없다.
(5) 그녀는 의사가 아니다.
2 나는 돈이 없다.

UNIT 2 태양

The sun rises in the east and sets in the west. 태양은 동쪽에서 떠서 서쪽으로 져요.

The sun looks like a ball of fire.
태양은 불덩어리처럼 생겼어요.

The sun is very far from the Earth.
태양은 지구에서 아주 멀리 있어요.

The temperature of the sun is around 10,000 degrees. 태양의 온도는 대략 1만 도예요.

The sun is the largest object in the solar system. 태양은 태양계에서 가장 큰 물체예요.

The sun is much bigger than the Earth.
태양은 지구보다 훨씬 더 커요.

The sun's diameter is about 110 times wider than the Earth's.
태양의 지름은 지구의 지름보다 대략 110배 더 넓어요.

Light from the sun takes 8 minutes and 20 seconds to reach the Earth.
빛은 태양에서 지구까지 오는 데 8분 20초 걸려요.

The sun gives us energy and warmth.
태양은 우리에게 에너지와 따뜻함을 줘요.

The sun keeps us warm during winter.
태양은 우리를 겨울 동안 따뜻하게 해줘요.

Without the sun, no life can exist on the Earth. 태양이 없다면 생명체는 지구에서 살 수 없어요.

Without the sun, the Earth would be a frozen wasteland.
태양이 없다면 지구는 얼어 있는 황무지가 될 거예요.

READING CHECK

1 ⑤ 2 ④ 3 ④ 4 ⑤

해석 및 해설

1 ① 태양의 모양 ② 태양의 크기
③ 태양의 온도 ④ 태양의 역할
⑤ 지구에서 태양의 거리

4 태양이 없다면 지구에 _______ 없다.

WORD CHECK

1 ⑤ 2 (1) energy (2) sun (3) winter
3 ① 4 ②

해석 및 해설

2 (1) 음식은 우리에게 에너지를 준다.
(2) 지구는 태양의 주위를 돈다.
(3) 우리는 겨울에 많은 눈을 가진다.

4 가을과 봄 사이에 있는 계절

GRAMMAR TIME

1 (1) fatter (2) smaller (3) more comfortable (4) bigger

해석 및 해설

1 (1) 내 개는 너의 고양이보다 더 뚱뚱하다.
(2) 나의 집은 너의 집보다 더 작다.
(3) 지하철은 버스보다 더 편안하다.
(4) 그 개는 나의 개보다 더 크다.

UNIT 3 북극곰

Many animals live in cold climates.
많은 동물들이 추운 기후에 살아요.

One of them is the polar bear.
그들 중 하나가 북극곰이에요.

Polar bears live in the Arctic.
북극곰은 북극에 살아요.

They have thick white fur.
그들은 두꺼운 하얀 털이 있어요.

They are strong and fast.
그들은 강하고 빨라요.

They can run as fast as 40*km* per hour.
그들은 1시간에 40km만큼 달릴 수 있어요.

They get their food from the sea.
그들은 바다에서 음식을 얻어요.

They eat seals and fish.
그들은 바다표범과 물고기를 먹어요.

They spend much of their time on the ice.
그들은 얼음 위에서 많은 시간을 보내요.

Due to global warming, the ice in the Arctic is melting.
지구온난화 때문에 북극의 얼음이 녹고 있어요.

Polar bears have lost their homes.
북극곰은 그들의 집을 잃어가고 있어요.

The number of polar bears is decreasing.
북극곰의 수가 줄어들고 있어요.

We have to make a plan to save the polar bears before they are gone forever.
우리는 북극곰이 영원히 사라지기 전에 그들을 구할 계획을 만들어야 해요.

READING CHECK

1 ⑤ 2 ③ 3 ②
4 can run as fast as 40*km* per hour

해석 및 해설

4 A: 북극곰은 얼마나 빨리 달릴 수 있니?

WORD CHECK

1 ⑤ 2 (1) fish (2) plans (3) spend 3 ② 4 ②

해석 및 해설

2 (1) 그 소년은 물고기를 잡고 있다.
(2) 너는 내일 무슨 계획이 있니?
(3) 나는 내 친구들과 많은 시간을 보낸다.

4 두꺼운 털과 날카로운 발톱을 지닌 크고 강한 야생 동물

GRAMMAR TIME

1 (1) My room / your room (2) This computer / that one
(3) My hair / Vivian's hair
2 (1) 내 다리는 엄마의 다리만큼 길다.
(2) 수잔은 캐시만큼 강하지 않다.
(3) 수지는 케빈만큼 빨리 달릴 수 있다.

해석 및 해설

1 (1) 내 방은 네 방만큼 깨끗하다.
(2) 이 컴퓨터는 저것만큼 비싸다.
(3) 내 머리는 비비안의 머리만큼 검다.

REVIEW TEST

01 ④ 02 ① 03 ③ 04 ⑤ 05 ④ 06 to
07 ② 08 ⑤ 09 ② 10 ⑤ 11 ② 12 ⑤
13 (1) December (2) rain (3) live
14 don't have any / do not have any
15 지구온난화 때문에 북극의 얼음이 녹고 있다.

해석 및 해설

04 ① 그들은 돈이 없다.
② 그녀는 의사가 아니다.
③ 내 개는 네 고양이보다 더 뚱뚱하다.
④ 내 방은 네 방만큼 깨끗하지 않다.
*comfortable의 비교급은 more comfortable입니다.

[05-07]
태양은 불덩어리처럼 생겼다.
태양은 지구에서 아주 멀리 있다.
태양의 온도는 대략 1만 도다.
태양은 태양계에서 가장 큰 물체다.
태양은 지구보다 훨씬 더 크다.
태양의 지름은 지구의 지름보다 대략 110배 더 넓다.
빛은 태양에서 지구까지 오는 데 8분 20초 걸린다.
태양은 우리에게 에너지와 따뜻함을 준다.
태양이 없다면 생명체는 지구에서 살 수 없다.
태양이 없다면 지구는 얼어 있는 황무지가 될 것이다.

05 ① 태양은 무엇처럼 생겼니?
② 태양은 얼마나 뜨겁니?
③ 태양계에서 가장 큰 물체는 뭐니?
④ 왜 태양은 그렇게 뜨겁니?
⑤ 태양은 얼마나 크니?
06 태양은 우리에게 에너지와 따뜻함을 준다.
08 사막에 살고 있는 큰 동물
09 그녀는 얼음 위에서 미끄러졌다.
10 우리는 더 따뜻한 기후로 이사 가기를 원한다.
11 그녀는 그녀의 엄마처럼 생겼다.
13 (1) 12월에 날씨는 매우 춥다.
(2) 비가 올 것 같다.
(3) 나는 시골에서 살고 싶다.

WORD MASTER

01 낙타	02 기후	03 덮다
04 줄다	05 사막	06 지름
07 존재하다	08 영원히	09 털
10 시간	11 위치하다	12 녹다
13 식물	14 두꺼운	15 황무지

Chapter 4 역사적 인물

UNIT 1 버락 오바마

Let me tell you about Barack Obama.
여러분에게 버락 오바마에 대해서 말할게요.

Barack Obama was born in Hawaii in 1961 and he spent most of his childhood there.
버락 오바마는 1961년 하와이에서 태어났고 대부분의 어린 시절을 그곳에서 보냈어요.

He has a wife and two daughters.
그는 부인과 두 명의 딸이 있어요.

He is a big sports fan, and he especially likes to play basketball.
그는 열혈 스포츠팬이고 특히 농구 하는 것을 좋아해요.

He graduated from Harvard Law School and became an attorney.
그는 하버드 법학 대학원을 졸업하고 변호사가 되었어요.

In 2008, he ran for president and won the election.
2008년에 그는 대통령에 출마했고 선거에서 이겼어요.

He served as the 44th president of the United States.
그는 제 44대 미국 대통령으로 일했어요.

He was the first African American president of the United States.
그는 미국의 최초 아프리카계 미국인이었어요.

He was the president for 8 years from 2009 to 2017.
그는 2009년부터 2017년까지 8년간 대통령이었어요.

In 2009, Barack Obama won the Nobel Peace Prize.
2009년에 버락 오바마는 노벨 평화상을 탔어요.

Since leaving the White House, Barack Obama and his family are living in Washington D.C. 백악관을 떠난 이후 버락 오바마와 그의 가족은 워싱턴에 살고 있어요.

READING CHECK

1 ⑤ 2 (1) F (2) T (3) T 3 ② 4 for 8 years

해석 및 해설

2 (1) 버락 오바마는 특히 야구 하는 것을 좋아한다.
(2) 버락 오바마는 미국의 44대 대통령이었다.
(3) 오바마 이전에 미국에 아프리카계 미국인 대통령은 없었다.

4 A: 오바마는 몇 년 동안 대통령으로 일했니?

WORD CHECK

1 ① 2 (1) family (2) graduate (3) became
3 ② 4 ④

해석 및 해설

1 그는 축구 하는 것을 좋아한다.
그녀는 피아노를 칠 수 없다.

2 (1) 나의 가족은 한국에 산다.
(2) 넌 졸업한 후에 무엇을 할 거니?
(3) 그녀는 유명한 작가가 되었다.

4 여러분이 어렸을 때 삶의 기간

GRAMMAR TIME

1 (1) during (2) during (3) for (4) for (5) during (6) for

해석 및 해설

1 (1) 나는 방학 동안 아주 즐거운 시간을 보냈다.
(2) 그가 내가 호텔에 머무르는 동안 방문했다
(3) 나는 일주일 동안 그 호텔에 머물렀다.
(4) 비가 3일 동안 내렸다.
(5) 겨울 동안 뉴욕에는 눈이 많이 온다.
(6) 그는 역에서 엄마를 2시간 동안 기다렸다.

UNIT 2 달에 처음 간 남자

Have you heard about Apollo 11?
여러분은 아폴로 11에 대해 들어본 적이 있나요?

Apollo 11 was the name of an American spacecraft. 아폴로 11은 미국 우주선 이름이었어요.

It was the first spacecraft to land on the moon. 그것은 달에 착륙한 최초의 우주선이었어요.

It landed on the moon in 1969.
그것은 1969년에 달에 착륙했어요.

Its mission was to send people to the moon. 그것의 임무는 사람을 달에 보내는 것이었어요.

It carried 3 astronauts to the moon.
그것은 달에 3명의 우주비행사를 태워 갔어요.

The names of the 3 astronauts were Buzz Aldrin, Neil Armstrong, and Michael Collins. 3명의 우주비행사의 이름은 버즈 올드린, 닐 암스트롱 그리고 마이클 콜린스였어요.

On July 20, 1969, Armstrong and Aldrin became the first humans to land on the moon. 1969년 7월 20일에 암스트롱과 올드린은 달에 착륙한 최초의 인간이 되었어요.

Millions of people around the world watched TV to see them land on the moon. 전 세계 수많은 사람들이 TV로 그들이 달에 내리는 것을 지켜봤어요.

They came back to the Earth on July 24, 1969. 그들은 1969년 7월 24일에 지구로 돌아왔어요.

READING CHECK

1 ⑤ 2 ② 3 ② 4 (1) F (2) T (3) T

해석 및 해설

1 ① 우주선의 이름
② 우주비행사의 수
③ 우주선의 임무
④ 우주비행사의 이름들
⑤ 우주선의 크기

2 아폴로 11호의 임무는 우주비행사를 달에 보내는 것이었다.

4 (1) 아폴로 11호는 대략 30년 전에 달에 착륙했다.
(2) 닐 암스트롱은 달에 발을 디딘 최초의 인간이었다.
(3) 사람들은 우주비행사들이 달에 내리는 것을 TV로 봤다.

WORD CHECK

1 ② 2 (1) first (2) back (3) watch 3 ② 4 ④

해석 및 해설

1 밤하늘의 달을 봐라. / 오늘밤 달이 밝다.

2 (1) 내 아들은 과학 경시대회에서 1등 상을 받았다.
(2) 나는 다음 주 금요일에 돌아올 것이다.
(3) 너는 야구 경기 보는 것을 좋아하니?

3 비행기가 공항에 착륙하고 있다.

GRAMMAR TIME

1 (1) a million (2) Millions (3) foreigners (4) million

2 (1) 수많은 사람들이 이 영화를 봤다.
(2) 약 6백만 명의 사람들이 여기에 산다.

해석 및 해설

1 (1) 약 오십만 명의 학생들이 그 시험을 볼 것이다.
(2) 수많은 사람들이 그 영화를 봤다.
(3) 수많은 외국인들이 매년 한국을 방문한다.
(4) 나는 2백만 원이 은행에 있다.

UNIT 3 알프레드 노벨

Alfred Nobel was born on October 21, 1833, in Stockholm, Sweden.
알프레드 노벨은 1833년 10월 21일에 스웨덴 스톡홀름에서 태어났어요.

He studied chemistry in France and in the United States.
그는 프랑스와 미국에서 화학을 공부했어요.

He was an intelligent man and could speak 6 languages.
그는 지적인 사람이었고 6개 언어를 말할 수 있었어요.

He invented dynamite and patented it in 1867.
그는 다이너마이트를 발명했고 1867년에 특허를 받았어요.

This invention made him very rich.
그 발명은 그를 매우 부자로 만들었어요.

Alfred Nobel made weapons, but he wanted peace.
알프레드 노벨은 무기를 만들었지만 평화를 원했어요.

Alfred Nobel founded the Nobel Prizes before he died.
알프레드 노벨은 그가 죽기 전에 노벨상을 만들었어요.

The prizes in Chemistry, Literature, Peace, Physics, and Physiology or Medicine were first awarded in 1901.
화학, 문학, 평화, 물리학 그리고 생리학이나 의학의 상들은 1901년에 처음 수여됐어요.

His money was used to establish the Nobel Prizes.
그의 돈은 노벨상을 설립하는 데 사용되었어요.

The Nobel Prizes are awarded on December 10, the anniversary of Alfred Nobel's death. 노벨상은 알프레드 노벨의 죽음을 기념하기 위해 12월 10일에 수상돼요.

The Nobel Prize has an incredible reputation and is now part of our global heritage. 노벨상은 엄청난 명성을 가지고 있고 지금은 세계 유산의 일부예요.

READING CHECK

1 ③ 2 ① 3 (1) T (2) T (3) F
4 studied chemistry

해석 및 해설

2 알프레드 노벨은 다이너마이트를 발명했고 부자가 되었다.

3 (1) 알프레드 노벨은 12월 10일 사망했다.
(2) 알프레드 노벨은 다이너마이트 발명가였다.
(3) 알프레드 노벨은 1901년에 노벨상을 받았다.
4 A: 알프레드 노벨은 프랑스에서 무엇을 공부했니?

WORD CHECK

1 ③ 2 (1) study (2) money (3) founded
3 ④ 4 ③

해석 및 해설

1 A: 너는 어떤 언어를 말할 수 있니?
B: 나는 한국어, 영어 그리고 중국어를 할 수 있어.
2 (1) 어떤 학생들은 영어를 공부한다.
(2) 너는 돈을 얼마나 많이 가지고 있니?
(3) 우리는 작년에 회사를 설립했다.
3 일 년의 10번째 달

GRAMMAR TIME

1 (1) met (2) made (3) danced (4) ate (5) bought

해석 및 해설

1 (1) 그녀는 어제 남자친구를 만났다.
(2) 나는 종이 인형을 만들었다.
(3) 그 소녀는 음악에 맞춰 춤췄다.
(4) 그들은 8시에 저녁을 먹었다.
(5) 메리는 공책을 샀다.

REVIEW TEST

01 ② 02 ② 03 ② 04 ① 05 ③
06 Armstrong and Aldrin 07 ① 08 ⑤ 09 ②
10 ③ 11 ⑤ 12 ④
13 (1) anniversary (2) invented (3) July 14 sent
15 그는 하와이에서 그의 어린 시절 대부분을 보냈다.

해석 및 해설

01 그녀는 5년 동안 한국에 살았다.
02 우리는 2시간 전에 피자를 ________.
*ago가 있으므로 동사는 과거가 와야 합니다.
03 *have의 과거형은 had입니다.
04 ② 나는 쿠키를 조금 만들었다.
③ 수많은 외국인들이 매년 한국을 방문한다.
④ 우리는 야채를 좀 샀다.
⑤ 겨울 동안 뉴욕에는 눈이 많이 온다.
[05-07]
아폴로 11은 미국 우주선 이름이었다.
그것은 달에 착륙한 최초의 우주선이었다.
그것은 1969년에 달에 착륙했다.
그것의 임무는 사람을 달에 보내는 것이었다.
그것은 달에 3명의 우주비행사를 태워 갔다.
3명의 우주비행사의 이름은 버즈 올드린, 닐 암스트롱 그리고 마이클 콜린스였다.
1969년 7월 20일에 암스트롱과 올드린은 달에 착륙한 최초의 인간이 되었다.
전 세계 수많은 사람들이 TV로 그들이 달에 내리는 것을 지켜봤다.
05 ① 아폴로 11은 무엇이니?
② 아폴로 11은 언제 달에 착륙했니?
③ 아폴로 11은 얼마나 크니?
④ 아폴로 11에는 얼마나 많은 우주비행사가 있었니?
⑤ 아폴로 11의 임무는 무엇이니?
08 많은 돈을 가지고 있는
09 건물 안에는 무기 소지가 안 된다.
10 그의 가족은 워싱턴 D.C.에 살고 있다.
버락 오바마는 1961년에 하와이에서 태어났다.
11 알프레드 노벨은 무기를 만들었지만 평화를 원했다.
에이미는 매우 아팠지만 학교에 갔다.
13 (1) 오늘이 우리 결혼기념일이다.
(2) 에디슨이 전구를 발명했다.
(3) 7월은 내가 좋아하는 달이다.
14 그녀는 지난주에 나에게 빨간 장미들을 보냈다.

WORD MASTER

01 수여하다	02 운반하다	03 화학
04 설립하다	05 근무하다, 일하다	06 유산
07 엄청난	08 지적인	09 발명하다
10 문학	11 의학	12 임무
13 특허 받다, 특허	14 명성	15 무기

Chapter 5 지구

UNIT 1 아시아

Asia is the largest continent in the world.
아시아는 세계에서 가장 큰 대륙이에요.

There are 48 countries in Asia.
아시아에는 48개의 나라가 있어요.

The world's two most populated countries, China and India, are in Asia.
세계에서 두 개의 가장 많은 사람이 살고 있는 나라인 중국과 인도가 아시아에 있어요.

Each country in Asia has its own culture and its own government.
아시아의 각 나라는 고유의 문화와 자신의 정부를 가지고 있어요.

Some countries like Indonesia and the Philippines are made up of islands.
인도네시아와 필리핀 같은 나라들은 섬으로 이루어져 있어요.

In many Asian countries, people have rice for breakfast, lunch, and dinner.
많은 아시아 나라들에서 사람들은 아침, 점심, 저녁에 밥을 먹어요.

In Asia, we can see a lot of wild animals including elephants, tigers, leopards, orangutans, snakes, etc.
아시아에서 우리는 코끼리, 호랑이, 표범, 오랑우탄, 뱀 등을 포함하는 많은 야생 동물들을 볼 수 있어요.

The highest mountain in the world is Mount Everest.
세계에서 가장 높은 산이 에베레스트예요.

It is located in an Asian country named Nepal.
그것은 네팔이라는 아시아 국가에 위치해 있어요.

Asia is filled with breathtaking views, ancient temples, and beautiful cities.
아시아는 숨 막히는 경치와 고대 절들 그리고 아름다운 도시들로 가득해요.

READING CHECK

1 ② 2 ② 3 ④ 4 ④

해석 및 해설

1 ① 가장 인구가 많은 나라들 ② 아시아에 대한 사실들
③ 아시아에 있는 도시들 ④ 아시아에 있는 야생동물들
⑤ 아시아에 있는 사람들

4 ① 아시아에는 얼마나 많은 나라들이 있니?
② 어떤 나라들이 섬으로 이루어졌니?
③ 어떤 동물들을 아시아에서 볼 수 있니?
④ 어떤 도시가 아시아에서 가장 크니?
⑤ 세계에서 가장 높은 산이 무엇이니?

WORD CHECK

1 ⑤ 2 (1) rice (2) mountain (3) view 3 ③ 4 ②

해석 및 해설

1 한국은 아시아에 위치한 나라다.
2 (1) 너는 밥 아니면 국수 무엇을 더 좋아하니?
(2) 산 정상에서 공기가 무척 상쾌하다.
(3) 멋진 경치가 있는 방을 주세요.
3 길고, 유연한 코를 가지고 있는 매우 큰 동물
4 책장이 책으로 가득하다.

GRAMMAR TIME

1 (1) 교실에 있는 학생들
(2) 피아노를 치고 있는 소녀
(3) 소파에 앉아 있는 남자
(4) 버스를 기다리고 있는 소년
(5) 은행에 있는 남자
(6) 피자를 먹고 있는 아이들

UNIT 2 지구

The Earth is the third planet from the sun in our solar system.
지구는 태양계에서 태양으로부터 세 번째 행성이에요.

How old is the Earth?
지구는 얼마나 오래됐나요?

Scientists say that the Earth is around 4.5 billion years old!
과학자들은 지구가 45억 년 정도 되었다고 해요!

The Earth travels around the sun.
지구는 태양 주위를 운행해요.

How long does the Earth take to travel around the sun?
지구가 태양 주위를 도는 데 얼마나 걸릴까요?

The Earth takes 365 days to orbit the sun completely.
지구가 태양 궤도를 완전히 도는 데는 365일이 걸려요.

The Earth's surface is covered with water. 지구 표면은 물로 덮여 있어요.

How much is the Earth's surface covered with water?
지구의 표면은 물로 얼마나 많이 덮여 있을까요?

About 70% of the Earth's surface is water. 지구 표면의 70%가 물이에요.

Is the Earth round?
지구는 둥근가요?

Yes, the Earth is round, but it isn't perfectly round.
맞아요, 지구는 둥글지만 완벽하게 둥글지는 않아요.

It is slightly flattened at the North and South Poles.
지구는 북극과 남극에서 살짝 평평해요.

READING CHECK

1 ⑤　2 ⑤　3 ②　4 ①

WORD CHECK

1 ②　2 (1) round (2) covered (3) Earth　3 ④
4 much

해석 및 해설

2 (1) 대부분 수박은 둥글고 크다.
(2) 그 책상은 먼지로 덮여 있다.
(3) 우리는 지구에 있는 모든 생명체들을 돌봐야 한다.
3 한 곳에서 다른 곳으로 가는 것
4 A: 그 의자는 얼마니?
B: 70달러야.

GRAMMAR TIME

1 (1) 그녀는 어제 멋진 식당에 나를 데리고 갔다.
(2) 많은 사람들이 매일 직장에 지하철을 타고 간다.
(3) 나는 아침에 샤워를 한다.
(4) 이 건물을 짓는 데 3년이 걸렸다.

UNIT 3 지구를 구해라

We should save the Earth so that our future generations can live in a safe environment. 우리는 미래의 세대가 안전한 환경에서 살기 위해서 지구를 구해야 해요.

Here are 10 ways to save the Earth.
여기 지구를 구하는 10가지 방법이 있어요.

01 Plant trees.
나무를 심어라.

02 Turn off the water while you're brushing your teeth.
양치를 하는 동안에 물을 잠가라.

03 Recycle plastic and paper.
플라스틱과 종이를 재활용해라.

04 Turn off the lights when you're not in the room. 방에 있지 않을 때는 불을 꺼라.

05 Walk or ride your bike to school.
학교에는 걷거나 자전거를 타고 가라.

06 Use both sides of the paper.
종이를 양면 모두 써라.

07 Don't waste napkins.
냅킨을 낭비하지 마라.

08 Stop using plastic bags when you buy groceries.
식료품 살 때 비닐봉지 사용을 멈춰라.

09 Take a reusable shopping bag when you go to the market. 시장에 갈 때는 재사용 가능한 쇼핑 가방을 가지고 가라.

10 Take your own cup to school or a cafe. 학교나 카페에는 자신의 컵을 가지고 가라.

READING CHECK

1 ⑤　2 ④　3 ③　4 ②

해석 및 해설

1 ① 우리의 미래 세대
② 안전한 환경
③ 돈을 절약하는 방법들
④ 물을 절약하는 방법들
⑤ 우리의 지구를 구하는 방법들
3 ① 나무를 심어라.
② 냅킨을 낭비하지 마라.
③ 플라스틱과 종이를 재활용해라.
④ 양치를 하는 동안에 물을 잠가라.
⑤ 식료품 살 때 비닐봉지 사용을 멈춰라.

WORD CHECK

1 ② 2 (1) plastic (2) Both (3) waste
3 riding 4 ③

해석 및 해설

2 (1) 너는 비닐봉지가 필요하니?
(2) 나는 누나가 둘 있다. 그들 모두 캐나다에 산다.
(3) 물을 낭비하지 마라.
3 그는 지금 자전거를 타고 있다.
4 식탁에서 사용되는 네모난 천이나 종이

GRAMMAR TIME

1 (1) 그는 그 시험에 통과하기 위해서 열심히 공부하고 있다.
(2) 빌은 새 컴퓨터를 사기 위해서 돈을 저축한다.
(3) 그녀는 의사가 되기 위해서 열심히 공부했다.
2 (1) so that / can
(2) in order to

해석 및 해설

2 미쉘은 건강을 유지하기 위해서 매일 수영한다.

REVIEW TEST

01 ③ 02 ⑤ 03 ① 04 ② 05 ④ 06 ⑤
07 have[eat] rice 08 ⑤ 09 ② 10 ② 11 ⑤
12 ③ 13 (1) Pole (2) Snakes (3) temple
14 in order to
15 피아노를 치고 있는 여자는 나의 엄마다.

해석 및 해설

01 그 약을 하루에 세 번 복용해라.
02 그녀는 건강을 유지하기 위해서 매일 달린다.
03 그녀는 그 시험을 통과하기 위해서 열심히 공부했다.
04 시장에 도착하는 데 얼마나 걸리니?
① 에이미는 동물원에 나를 데리고 갔다.
② 거기 도착하는 데 20분이 걸릴 것이다.
③ 너는 커피에 설탕을 넣니?
④ 그녀는 공원에서 사진을 찍었다.
⑤ 나는 아침에 샤워를 한다.

[05-07]
아시아는 세계에서 가장 큰 대륙이다.
아시아에는 48개의 나라가 있다.
세계에서 두 개의 가장 많은 사람이 살고 있는 나라인 중국과 인도가 아시아에 있다.
인도네시아와 필리핀 같은 나라들은 섬으로 이루어져 있다.
많은 아시아 나라들에서 사람들은 아침, 점심, 저녁에 밥을 먹는다.
아시아에서 우리는 코끼리, 호랑이, 표범, 오랑우탄, 뱀 등을 포함하는 많은 야생 동물들을 볼 수 있다.
세계에서 가장 높은 산이 에베레스트고, 그것은 네팔이라는 아시아 국가에 위치해 있다.
07 A: 아시아 사람들은 저녁으로 주로 무엇을 먹니?
08 마시는 데 사용되는 작은 용기
09 그는 지금 나무를 심고 있다.
10 학교에 걷거나 자전거를 타고 가라.
디저트나 아니면 커피를 좀 드실래요?
11 지구는 태양 주위를 돈다.
지구는 45억 년 정도 됐다.
13 (1) 남극은 얼음으로 덮여 있다.
(2) 뱀은 긴 혀와 날카로운 이빨이 있다.
(3) 너는 어제 절을 방문했니?
14 빌은 새 컴퓨터를 사기 위해서 돈을 모은다.

WORD MASTER

01 대륙	02 나라	03 문화
04 환경	05 세대	06 정부
07 식료품	08 포함하다	09 궤도를 돌다
10 완벽하게	11 재활용하다	12 표면
13 절	14 경치	15 낭비하다

Chapter 6 이야기

UNIT 1 욕심 많은 개

A dog had a piece of meat in his mouth.
개가 입에 고기 한 조각을 가지고 있어요.

The dog was walking across a wooden bridge over a stream.
그 개는 개울 위의 나무로 만든 다리를 건너고 있었어요.

The dog was surprised as he saw his reflection in the stream.
그 개는 개울에 비친 자신의 그림자를 보자 놀랐어요.

The dog thought there was a dog with a piece of meat in the stream. 그 개는 개울 안에 고기 조각을 가진 개가 있다고 생각했어요.

He was not aware that it was his own reflection.
그는 그것이 자신의 그림자라는 것을 알지 못했어요.

He thought it was another dog.
그는 또 다른 개가 있다고 생각했어요.

He wanted to get the dog's meat.
그는 그 개의 고기를 얻기를 원했어요.

He opened his mouth to bark at his own reflection.
그는 자신의 그림자를 향해 짖기 위해서 입을 열었어요.

As he opened his mouth, the meat fell into the water.
그가 입을 열자마자 고기가 물속으로 떨어졌어요.

The greedy dog lost his meat.
그 욕심 많은 개는 고기를 잃었어요.

READING CHECK

1 ⑤ 2 ③ 3 ②
4 The meat fell into the stream[water].

해석 및 해설

1 ① 과거의 실수로 배워라.
② "고맙다"고 많이 얘기해라.
③ 봄마다 꽃들을 심어라.
④ 비밀을 지켜라.
⑤ 욕심을 부리는 것은 어리석다.
3 그는 개울 아래를 내려다봤다.
4 개가 개울 안에 있는 개에게 짖었을 때 어떤 일이 일어났니?

WORD CHECK

1 ⑤ 2 (1) meat (2) bridge (3) barks 3 ⑤ 4 ①

해석 및 해설

1 이 셔츠는 나에게 너무 작다. / 다른 셔츠를 보여줄 수 있나요?
2 (1) 나는 고기를 먹지 않는다. 나는 채식주의자다.
(2) 너는 이 다리가 얼마나 긴지 아니?
(3) 저 개는 항상 나를 향해 짖는다.
3 사과가 나무에서 떨어지고 있다.
4 작고 좁은 강

GRAMMAR TIME

1 (1) glass (2) piece (3) bottles

UNIT 2 토끼와 거북이

A turtle challenged a rabbit to a race.
거북이가 토끼에게 경주를 제안했어요.

The rabbit accepted the challenge.
토끼는 그 도전을 받아들였어요.

The race started and the rabbit ran fast.
경주가 시작됐고 토끼가 빨리 달렸어요.

The turtle walked slowly.
거북이는 천천히 걸었어요.

The rabbit was far ahead of the turtle.
토끼는 거북이보다 훨씬 앞에 있었어요.

The rabbit got halfway point.
토끼는 반환점에 도착했어요.

He could not see the turtle anywhere.
그는 거북이를 어디에서도 볼 수 없었어요.

The rabbit stopped running and took a short nap.
토끼는 달리기를 멈추고 짧은 낮잠을 잤어요.

The turtle didn't stop walking.
거북이는 걸음을 멈추지 않았어요.

The turtle kept walking toward the finish line. 거북이는 결승선을 향해 계속 걸었어요.

The turtle passed the rabbit and at last he reached the finish line.
거북이는 토끼를 앞섰고 결국 결승선에 도착했어요.

After a while, the rabbit woke up and ran to the finish line.
잠시 후에 토끼는 깨어났고 결승선으로 달렸어요.

The rabbit found the turtle waiting for him there. 토끼는 거기서 거북이가 그를 기다리고 있다는 것을 알았어요.

READING CHECK

1 ② 2 ⑤ 3 ⑤ 4 (1) No (2) No (3) Yes

해석 및 해설

4 (1) 토끼는 경주에 이겼니?
(2) 거북이는 경주 동안 휴식을 취했니?
(3) 거북이는 토끼를 결승선에서 기다렸니?

WORD CHECK

1 ② 2 (1) slowly (2) short (3) stop 3 ② 4 ③

해석 및 해설

1 소금 좀 건네줄 수 있니?
2 (1) 좀 더 천천히 말해 주세요.
(2) 내 누나는 머리가 짧다.
(3) 저 호텔 앞에 멈춰 주세요.
3 샘은 지금 낮잠을 자고 있다.
4 긴 귀를 가지고 있는 작은 동물

GRAMMAR TIME

1 (1) didn't study (2) didn't play (3) didn't love
(4) didn't help (5) didn't change

해석 및 해설

1 (1) 나는 지난밤에 수학을 공부했다.
(2) 우리는 어제 축구를 했다.
(3) 그는 메리를 사랑했다.
(4) 그녀는 친구들을 도왔다.
(5) 마이크는 그 계획을 바꿨다.

UNIT 3 우화

Did you ever read fables?
우화를 읽어본 적 있나요?

A fable is a short story.
우화는 짧은 이야기예요.

Most fables teach morals to children.
대부분의 우화들은 아이들에게 도덕을 가르쳐요.

Fables are also humorous and entertaining for children.
우화는 또한 아이들에게 유머 있고 재미있어요.

The characters of the fables are usually animals. 우화의 등장인물들은 보통 동물들이에요.

They act and talk just like humans.
그들은 인간처럼 행동하고 말해요.

Two or three animals appear in fables.
우화에는 동물이 둘이나 셋 등장해요.

Fables often jump into the main event without detailed introduction of characters.
우화는 종종 자세한 등장인물의 소개 없이 바로 주요 사건이 시작돼요.

Aesop is one of the most famous authors of fables in history.
이솝은 역사상 가장 유명한 우화 작가 중의 한 명이에요.

He lived about 2,500 years ago in ancient Greece. 그는 대략 2,500년 전 고대 그리스에 살았어요.

His fables have been handed down from generation to generation.
그의 우화들은 대대로 전해 내려왔어요.

His fables are still popular today.
그의 우화들은 오늘날도 여전히 인기 있어요.

READING CHECK

1 ③ 2 ④ 3 ② 4 are usually animals

해석 및 해설

4 A: 우화의 주인공은 무엇이니?

WORD CHECK

1 ② 2 (1) children (2) usually (3) history
3 ④ 4 ⑤

해석 및 해설

1 그는 5분 전에 나갔다.
2 (1) 패스트푸드는 아이들에게 좋지 않다.
(2) 그는 보통 10시에 자러 간다.
(3) 그녀는 역사상 가장 훌륭한 음악가다.
3 그들은 침대에서 뛰고 있다.

GRAMMAR TIME

1 (1) Did, study (2) Did, learn (3) Did, move (4) Did, play
2 ②

해석 및 해설

1 (1) 너는 수학을 공부했다.
(2) 그녀는 중국어를 배웠다.
(3) 그들은 그 상자를 옮겼다.
(4) 그는 테니스를 쳤다.

2 A: 네 누나가 설거지를 했니?

REVIEW TEST

01 ② 02 ③ 03 ④ 04 ⑤ 05 ② 06 ① 07 ② 08 ④ 09 ③ 10 ⑤ 11 ② 12 ③ 13 (1) waiting (2) accept (3) bottles 14 a cup of 15 (1) Did, meet (2) Did, learn

해석 및 해설

01 나는 주스 한 잔이 필요하다.
02 우리는 어제 축구를 하지 않았다.
*yesterday가 있으므로 과거형이 와야 합니다.
03 너는 지난밤에 기타 연습을 했니?
04 *piece(조각)로 셀 수 없는 것을 고르세요.

[05-07]
개가 입에 고기 한 조각을 가지고 있다.
그 개는 개울 위의 나무로 만든 다리를 건너고 있었다.
그 개는 개울에 비친 자신의 그림자를 보자 놀랐다.
그 개는 개울 안에 고기 조각을 가진 개가 있다고 생각했다.
그는 그것이 자신의 그림자라는 것을 알지 못했다.
그는 또 다른 개가 있다고 생각했다.
그는 그 개의 고기를 얻기를 원했다.
그는 자신의 그림자를 향해 짖기 위해 입을 열었다.
그가 입을 열자마자 고기 조각이 물속으로 떨어졌다.

05 ① 그 개는 입에 뭐를 물고 있니?
② 그 개는 언제 그 다리를 건넜니?
③ 개울 안에는 진짜 개가 있었니?
④ 그 개는 왜 고기를 잃어버렸니?
⑤ 그 개는 개울 안에서 무엇을 봤니?

07 ① 어두워지고 있다.
② 너는 어디서 그 셔츠를 얻었니?
③ 나는 보통 7시까지 학교에 도착한다.
④ 그는 차에 타서 운전해서 출근했다.
⑤ 그 버스에서 내리자.

08 단단한 껍데기를 가지고 천천히 움직이는 파충류
09 그녀는 결승선을 지나고 있다.
10 10분 동안 쉬자.
우리는 택시나 버스를 타야 한다.
11 도노반은 결승선에 도착했다.
13 (1) 그는 친구를 기다리고 있다.
(2) 나는 네 사과를 받아들일 수 없다.
(3) 나는 주스 두 병이 있다.
15 (1) 그는 어제 데이비드를 만났다.
(2) 그녀는 어렸을 때 한국어를 배웠다.

WORD MASTER

01 받아들이다	02 고대의	03 또 다른
04 등장하다	05 알고 있는	06 등장인물
07 재미있는	08 우화	09 유명한
10 세대	11 욕심 많은	12 유머 있는
13 소개	14 도덕, 교훈	15 그림자

WORKBOOK Answers

Chapter 1

Unit 01 Healthy Teeth

1 01 dentist 02 tooth 03 way 04 regular
05 snack 06 toothbrush

2 01 ② 02 ④

3 01 ⓑ 02 ⓐ 03 ⓒ

4 01 and 02 is 03 or 04 are

5 01 과일과 야채를 많이 먹고 탄산음료 대신에 물을 마셔라.
02 치아에 문제가 있으면 치과에 가라.

해석 및 해설

4 01 존과 톰이 너를 방문할 것이다.
02 민우나 내가 너를 도와줄 것이다.
03 커피와 홍차 중에서 어느 쪽을 좋아합니까?
04 민수와 나는 점심식사로 피자를 먹을 것이다.

Unit 02 Drinking Water

1 01 enough 02 plenty 03 essential
04 sweat 05 tired 06 exercise

2 01 ① 02 ④

3 01 ⓑ 02 ⓒ 03 ⓐ

4 01 should not drink or eat
02 you should take a taxi
03 should not drink soda
04 should not forget your duty

5 01 충분한 물을 마시는 것은 우리 건강에 매우 중요하다.
02 여러분은 운동할 때 충분한 물을 마셔야 한다.

Unit 03 Regular Exercise

1 01 benefit 02 reduce 03 improve
04 often 05 illness 06 sleep

2 01 ⑤ 02 ④

3 01 ⓑ 02 ⓒ 03 ⓐ

4 ④

5 01 여기 여러분이 규칙적으로 운동할 때 이로운 점이 있다.
02 운동은 여러분의 외모를 향상시킬 수도 있고 여러분을 아름답게 만들 수도 있다.

해석 및 해설

4 그 책 어디서 났니?
① 그는 매우 화가 났다.
② 집에 도착하면 내게 전화해 줘.
③ 너는 몇 시에 여기 도착했니?
④ 나는 고모에게 생일선물로 가방을 받았다.
⑤ 우리는 7시에 런던에 도착했다.

Chapter 2

Unit 01 My Wishes

1 01 firefighter 02 astronaut 03 future
04 brave 05 achieve 06 space

2 01 ② 02 ①

3 01 ⓐ 02 ⓒ 03 ⓑ

4 01 wants to drink coffee
02 would like to play baseball
03 would like to have pizza

5 01 나의 두 번째 소원은 프로야구선수가 되는 것이다.
02 나는 내 소원을 성취하기 해서 열심히 노력할 것이다.

Unit 02 An Artist

1 01 participate 02 prize 03 painting
04 practice 05 complete 06 admire

2 01 ⑤ 02 ②

3 01 ⓒ 02 ⓐ 03 ⓑ

4 01 want to 02 to visit 03 would like
04 to meet

5 01 그녀는 자유 시간을 그림을 그리면서 보낸다.
02 그녀는 다음 달 미술대회에 참가할 것이다.

해석 및 해설

4 01 나는 의사가 되고 싶다.
02 나는 박물관에 가고 싶다.
03 나는 커피를 마시고 싶다.
04 우리는 너를 다시 만나고 싶다.

Unit 03 Christmas Wishes

1 01 gift 02 December 03 birth 04 peace
05 religion 06 send

2 01 ② 02 ⑤

3 01 ⓒ 02 ⓐ 03 ⓑ

4 01 gave a pencil to her
02 showed me her watch
03 sent a birthday card to him

5 01 크리스마스는 12월 25일이다.
02 크리스마스에 사람들은 가족을 만나고 점심을 함께 한다.

Chapter 3

Unit 01 Deserts

1 01 cover 02 sandy 03 plant 04 place
05 desert 06 camel

2 01 ④ 02 ②

3 01 ⓑ 02 ⓐ 03 ⓒ

4 01 not 02 no 03 not 04 don't

5 01 낙타는 사막 같은 건조한 지역에서 산다.
02 사하라 사막은 북아프리카에 위치해 있다.

해석 및 해설

4 01 나는 돈이 전혀 없다.
02 그들은 한국인 친구가 전혀 없다.
03 그녀는 선생님이 아니다.
04 그들은 자전거가 없다.

Unit 02 The Sun

1 01 diameter 02 temperature 03 object
04 wasteland 05 second 06 exist

2 01 ⑤ 02 ①

3 01 ⓑ 02 ⓒ 03 ⓐ

4 01 heavier 02 smaller 03 more expensive
04 more dangerous

5 01 태양은 태양계에서 가장 큰 물체다.
02 태양이 없다면 생명체는 지구에서 살 수 없다.

Unit 03 Polar Bears

1 01 melt 02 decrease 03 forever 04 thick
05 climate 06 seal

2 01 ③ 02 ④

3 01 ⓒ 02 ⓑ 03 ⓐ

4 01 as tall as
02 not as smart as
03 not as strong as

5 01 그들은 얼음 위에서 많은 시간을 보낸다.
02 지구온난화 때문에 북극의 얼음이 녹고 있다.

Chapter 4

Unit 01 Barack Obama

1 01 election 02 leave 03 childhood
04 graduate 05 daughter 06 president

2 01 ② 02 ④

3 01 ⓒ 02 ⓐ 03 ⓑ

4 01 during 02 for 03 for 04 during
05 for

5 01 그는 대부분의 어린 시절을 그곳에서 보냈다.
02 그는 2009년부터 2017년까지 8년간 대통령이었다.

해석 및 해설

4 01 너는 겨울 방학 동안 많은 일들을 했다.
02 10분 동안 휴식하자.
03 나는 5년 동안 영어를 배웠다.
04 여름 동안 한국에는 비가 많이 온다.
05 나는 어제 4시간 동안 독서했다.

Unit 02 First Man on the Moon

1 01 land 02 hear 03 mission
04 spacecraft 05 astronaut 06 watch

2 01 ② 02 ④

3 01 ⓑ 02 ⓒ 03 ⓐ

4 01 million 02 Millions 03 million
04 tourists

5 01 그것은 달에 착륙한 최초의 우주선이었다.
02 전 세계 수많은 사람들이 TV로 그들이 달에 내리는 것을 지켜봤다.

해석 및 해설

4 01 그 도시 인구는 5백만 명이다.
02 전 세계 수많은 사람들이 그 경기를 시청했다.
03 매달 약 100만 명의 사람들이 그곳을 방문한다.
04 해마다 수백만 명의 여행객들이 중국을 여행한다.

Unit 03 Alfred Nobel

1 01 invent 02 heritage 03 October
04 reputation 05 chemistry 06 weapon

2 01 ④ 02 ④

3 01 ⓑ 02 ⓒ 03 ⓐ

4 01 built 02 slept 03 spoke 04 sent

5 01 알프레드 노벨은 그가 죽기 전에 노벨상을 만들었다.
02 노벨상은 12월 10일에 수상된다.

해석 및 해설

4 01 그들은 지난해 그 다리를 건설했다.
02 나는 학교에서 수업 중에 하루 종일 잤다.
03 알렉스는 자연스럽게 영어와 프랑스어로 이야기를 했다.
04 그는 내게 어제 문자 메시지를 보냈다.

Chapter 5

Unit 01 Asia

1 01 island 02 snake 03 temple
04 elephant 05 ancient 06 government

2 01 ③ 02 ②

3 01 ⓒ 02 ⓑ 03 ⓐ

4 01 The boys in the classroom
02 the girl playing the piano
03 The black cat sitting on the sofa

5 01 많은 아시아 나라들에서 사람들은 아침, 점심, 저녁에 밥을 먹는다.
02 아시아는 숨 막히는 경치와 고대 절들 그리고 아름다운 도시들로 가득하다.

Unit 02 The Earth

1 01 around 02 travel 03 round
04 scientist 05 surface 06 flattened

2 01 ① 02 ③

3 01 ⓑ 02 ⓒ 03 ⓐ

4 ④

5 01 지구가 태양 주위를 도는 데 얼마나 걸리니?
02 지구가 태양 궤도를 완전히 도는 데는 365일이 걸린다.

해석 및 해설

4 시장까지 가는 데 얼마나 걸리니?
① 나는 아침에 샤워를 한다.
② 그들이 나를 가까운 병원에 데리고 갔다.
③ 식후 약을 복용하세요.
④ 이 다리를 짓는 데 3년이 걸렸다.
⑤ 많은 사람들이 매일 직장에 지하철을 타고 간다.

Unit 03 Save the World

1 01 future 02 waste 03 environment
04 recycle 05 save 06 grocery

2 01 ③ 02 ⑤

3 01 ⓒ 02 ⓑ 03 ⓐ

4 01 so that / can 02 in order to

5 01 방에 있지 않을 때는 불을 꺼라.
02 식료품 살 때 비닐봉지 사용을 멈춰라.

Chapter 6

Unit 01 The Greedy Dog

1 01 bridge 02 stream 03 open
04 greedy 05 bark 06 meat

2 01 ① 02 ④

3 01 ⓑ 02 ⓒ 03 ⓐ

4 01 cup 02 pieces 03 bottle

5 01 그 개는 개울 위의 나무로 만든 다리를 건너고 있었다.
02 그는 자신의 그림자를 향해 짖기 위해서 입을 열었다.

Unit 02 The Rabbit and the Turtle

1 01 slowly 02 wake up 03 accept
04 turtle 05 pass 06 nap

2 01 ② 02 ④

3 01 ⓒ 02 ⓐ 03 ⓑ

4 01 I didn't watch TV
02 We didn't go to the park
03 He didn't have rice noodles
04 She didn't take a walk

5 01 토끼는 거북이를 어디에서도 볼 수 없었다.
02 토끼는 거북이보다 훨씬 앞에 있었다.

해석 및 해설

4 01 나는 지난밤에 TV를 시청했다.
02 우리는 어제 공원에 갔다.
03 그는 점심식사로 쌀국수를 먹었다.
04 그녀는 아침에 산책을 했다.

Unit 03 A Fable

1 01 humorous 02 appear 03 author
04 generation 05 fable 06 character

2 01 ① 02 ③

3 01 ⓑ 02 ⓐ 03 ⓒ

4 01 Did / go 02 Did / see 03 Did / wash
04 Did / read

5 01 우화의 등장인물들은 보통 동물들이다.
02 이솝의 우화들은 오늘날도 여전히 인기 있다.

해석 및 해설

4 01 그들은 동물원에 갔었다.
02 너는 제니를 파티에서 보았다.
03 그들은 설거지를 했다.
04 그는 지난밤 책을 읽었다.

Memo

Longman

ANSWERS

In books
www.inkbooks.co.kr
구매문의 02) 455 9620